PÉTREL DES HAWAII

CIGOGNE

LORIQUET
DE MUSSCHENBROEK

MAUBÊCHE CANUT

LA VIE FAMILIALE DES OISEAUX

FAUVETTE BRUNE D'AMÉRIQUE

TOURNE-PIERRE

CUPIDON DES PRAIRIES

GUÊPIER D'EUROPE

BÉCASSINE DES MARAIS

PÉTREL ÉQUINOXIAL

FOU DE BASSAN

ROI DES GOBE-MOUCHES

CORYLLIS
À POITRINE DORÉE

ENGOULEVENT PORTE-ÉTENDARD

MERLE NOIR   POUILLOT VÉLOCE   FAUVETTE À TÊTE NOIRE   BRUANT IZZI   ROSSIGNOL PROGNÉ

PIE-GRIÈCHE À POITRINE ROSE   MERLE MIGRATEUR   GRIVE LITORNE   POUILLO

HYPOLAIS ICTÉRINE

PHOTOGRAPHIES ET TEXTE
HANS D. DOSSENBACH

MAQUETTE ET MISE EN PAGE
EMIL M. BÜHRER

LA VIE FAMILIALE DES OISEAUX

PRÉFACE ET COLLABORATION
PROFESSEUR OTTO KOENIG

TRADUCTION DE
JACQUES HALL ET JACQUELINE LAGRANGE

FLAMMARION

ROUSSEROLLE TURDOÏDE   ROUSSEROLLE EFFARVATTE   GEAI DES CHÊNES   PIE BAVARDE

ELLI   ETOURNEAU-SANSONNET   BRUANT JAUNE   PIE-GRIÈCHE
                                                                                           À POITRINE ROSE
NTEUR MOUCHET   GRIVE DRAINE

Les personnes suivantes ont apporté leur précieuse collaboration à cet ouvrage:
Le docteur Géry, ichtyologiste, maître de recherches au CNRS, conseiller pour la version française.
Le docteur Gerhard Thielcke, de l'Institut Max-Planck, Radolfzell, expert en matière de cris d'oiseaux, pages 80/81.
Francine Peeters, assistante de production.
Franz Coray, auteur des graphiques et cartes des pages 1, 10/11, 12–23, 36/37, 38/39, 42/43, 52/53, 54/55, 68/69, 103, 107, 129, 130/131, 134, 140, 170 et des pages de couverture.
Rudolf Küenzi, auteur des illustrations des pages 61, 141, 142/143, 144.
Rolf Baumann, auteur des illustrations en couleurs des pages 42/43.
Les photographes ayant réalisé des épreuves supplémentaires:
Lisbeth Bührer, pages 49, 138/139.
Karel Hajek, pages 50/51.
Paul Niederhauser, pages 30, 32/33, 114/115.
James Perret, pages 2/3, 4/5, 6/7, «œufs d'oiseaux», 57, 58/59, 60.
Walter Tilgner, pages 93, 147/148.

FAUCON NAIN   MOINEAU DOMESTIQUE   ALOUETTE DES CHAMPS   ALOUETTE PISPOLETTE   FAUCON-CRÉCEREL

GRIVE MUSICIENNE   SPRÉO SUPERBE   LORIOT JAUNE

A PROPOS DE CET OUVRAGE

Par le professeur-docteur
Otto Koenig,
de Wilhelminenberg (Vienne)

Quelque part, il doit bien exister un monde animal sans insecticides, sans pollution atmosphérique ni radio-activité excessive, un monde où le ciel est encore aussi bleu qu'il y a mille ans, exempt de brouillard chargé de fumées. J'ignore où il se trouve, mais, manifestement, Hans Dossenbach l'a découvert.

Ses photographies nous le confirment. Pour lui, le monde est toujours intact. Sans doute peut-il être considéré comme un dernier disciple de l'âge de la pierre qui, armé de son appareil photographique, crée un nouvel Altamira en l'honneur de sa proie; proie inconsciente de sa capture et qui, de ce fait, continue à peupler son habitat avec autant de couleurs, de gaieté, d'agitation, de calme que nous le voyons dans les émouvantes images de ce livre. A ma connaissance, personne ne photographie comme H. Dossenbach. Ses lentilles ne fonctionnent pas comme les autres systèmes optiques; étant lui-même un instrument apte à dépeindre ce qu'il voit, il use des appareils photographiques pour interpréter ses pensées et ses rêves. C'est là la seule explication au contenu lyrique de ces illustrations dont chacune est, par son art, devenue une histoire, un compte rendu de la nature.

J'ai rencontré Dossenbach pour la première fois à Neusiedlersee. Portant une chemise délavée, il travaillait comme si rien n'existait en dehors de sa tâche. Alors que presque tous les photographes coupent les tiges gênantes pour obtenir une vue dégagée, il les écartait avec soin; son travail achevé, aucune trace ne subsistait de son passage. Chacun de ses clichés prouve que les animaux n'ont jamais eu conscience d'avoir été observés.

C'est là le plus grand compliment que l'on puisse adresser à un photographe animalier. Au sein de ce monde si malade, les photographies de Dossenbach nous redonnent foi en la sagesse de la nature, car elles ignorent l'homme qui a apporté la maladie et ne cesse de la propager.

Nul doute que, au fil des pages, le lecteur cède au plaisir, à l'étonnement, à la joie. La «poésie de la nature», qui imprègne l'œuvre de Dossenbach, a trouvé un parfait écho chez Emil Martin Bührer, à qui nous devons cet ouvrage.

GRIÈCHE ROUSSE

GUILLEMOT TROIL

PIE-GRIÈCHE GRISE

ROUGE-GORGE

FAUCON KOBEZ

MOINEAU DOMESTIQUE

BOUVREUIL

MERLE MANDARIN

GERFAUT

GOBE-MOUCHES GRIS

FAUVETTE BABILLARDE

PIE-GRIÈCHE ÉCORCHEUSE

EMEU

FAUCON-CRÉCERELLETTE

GRIVE FAUVE
OU GRIVE DES FORÊTS

GUILLEMOT À MIROIR BLANC

COCHE

Un mariage d'oiseaux! Alors que je compulsais l'un des textes destinés à ce livre, deux minuscules oiseaux au plumage coloré, originaires d'Australie, entamèrent leur rituel d'amour dans la cage posée devant moi, sur le bureau. De tendres élans les portaient l'un vers l'autre; après s'être courtisés avec une même ferveur, ils consommèrent impétueusement et plusieurs fois leur union. Puis ils saisirent des fibres de cocotier et des brins de coton déposés sur le plancher de leur petite maison et s'employèrent à bâtir le nid. Quinze jours après leurs premières escarmouches amoureuses, le joli bol, douillettement tapissé, recevait le premier œuf, blanc, à peine plus gros qu'un pois. Un autre suivit au bout de vingt-quatre heures et, bientôt, il y en eut cinq que les nouveaux mariés couvèrent alternativement, à une cinquantaine de centimètres de ma machine à écrire et de son cliquetis. Sous la chaleur fiévreuse de leurs petits corps, ils amenaient à la vie les œufs minuscules – chacun d'eux pesant à peine six grammes. Au cours des douze jours que dura l'incubation, mes charmants compagnons, habituellement débordant de vitalité, firent preuve d'une patience étonnante qui se transforma en une activité incessante dès que les petites créatures aveugles, roses, nues eurent brisé leur coquille et présenté aux auteurs de leurs jours des becs largement ouverts, insatiables, d'où montait parfois un pépiement à peine audible. Deux semaines plus tard, les oisillons voletaient déjà dans la cage, ne se différenciant de leurs parents que par leur sobre plumage d'adolescents. Ayant atteint la taille des adultes, ils recherchaient eux-mêmes leur nourriture, se baignaient avec enthousiasme dans le bol d'eau, lissaient laborieusement leurs plumes – en résumé, ils étaient devenus des oiseaux «responsables», indépendants.

Celui qui a été témoin d'un tel processus en reste émerveillé. A chaque nouvelle observation s'intensifie le désir d'en apprendre davantage. Le scalpel de l'ornithologue a exploré le corps des oiseaux jusqu'à la dernière fibre. Généticiens, spécialistes en endocrinologie et en psychologie animale s'efforcent d'élucider le mystère de la reproduction, mais il suffit au profane de s'armer de jumelles et de partir dans la campagne pour surprendre la vie amoureuse de nos amis à plumes. Afin de l'aider dans son entreprise, nous avons rapporté ici le fruit de nos fascinantes observations relatives au cycle de vie de ces prodigieuses créatures.

Ces pages traiteront de l'adaptabilité inégalée des oiseaux, qui leur permet de construire des nids partout où la nature leur en offre la possibilité; de la réelle maîtrise et de l'audace dont ils font preuve dans leurs constructions. Nous suivrons leur comportement social au moment de la reproduction; la mise en condition pour l'accouplement qui s'accompagne des plus curieux rituels d'amour. Nous serons éblouis par leurs atours de noces, étonnés par leur attitude en regard de la vie conjugale, découvrant des monogames confirmés, de passionnés polygames, d'effrontées polyandres. Des unions durant l'espace d'un éclair, d'autres se prolongeant pour une saison ou pour toute la vie nous seront rapportées avec maintes anecdotes sur la vie conjugale et les curieuses coutumes qui y préludent.

Nous découvrirons l'œuf qui recèle le plus grand des miracles: le développement de la vie dont nous suivrons les phases à l'intérieur de la coquille protectrice. Nous assisterons à la laborieuse éclosion du petit, aux soins que lui prodiguent ses parents. Nous serons les témoins des problèmes que doivent résoudre les oiseaux pour élever leur nichée et la protéger; problèmes dont la plupart d'entre nous ne soupçonnent même pas l'existence.

Qu'il nous soit permis de souhaiter au lecteur la joie de la découverte d'un monde merveilleux enclos dans les pages de ce livre.

Sur les pages suivantes: Flamants dans le désert de Sechura, au nord du Pérou. Ces oiseaux vivent et se reproduisent au bord des lacs salés, aussi bien sous la chaleur accablante de la vallée du Rift que sous le rigoureux climat du plateau des Andes.

 JANT DES ROSEAUX

CRAVE À BEC ROUGE

MÉSANGE
CHARBONNIÈRE

BALBUZARD FLUVIATILE

ROSSIGNOL
CHANTEUR

TRAQUET-TARIER

MOINEAU FRIQUET

TINAMOU TACHETÉ

LES OISEAUX MIGRATEURS SUIVENT LE SOLEIL

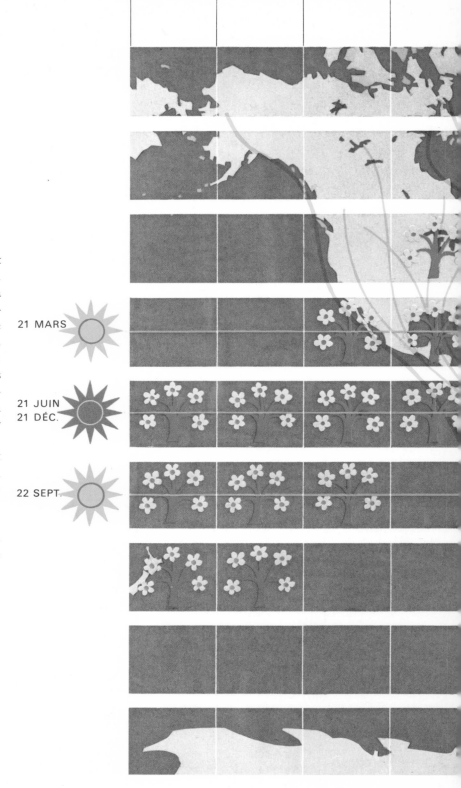

| JANVIER | FÉVRIER | MARS | AVRIL |

21 MARS

21 JUIN
21 DÉC.

22 SEPT.

Le rythme de vie des oiseaux est subordonné à celui des saisons. Pour la plupart des espèces, la reproduction nécessite une chaleur estivale et une ample réserve de nourriture riche en protéines. Les oiseaux dont l'habitat se situe dans les régions équatoriales peuvent se reproduire toute l'année et ils n'émigrent pas, sinon sur de courtes distances pour échapper à la saison des pluies. Cependant, plus leur habitat est éloigné de l'équateur, aussi bien dans l'hémisphère nord que dans l'hémisphère sud, plus ils se voient contraints à faire concorder avec précision leur période d'incubation en tenant compte de la position du soleil et des saisons qui leur sont favorables.

Dans le cas des espèces vivant en Amérique du Nord, en Europe et dans le nord de l'Asie, les oiseaux migrateurs évitent les saisons froides en se rapprochant de l'équateur, tout comme leurs homologues de l'hémisphère austral.

Mais certaines espèces ne se préoccupent pas des saisons. Ainsi, le manchot empereur pond ses œufs au cours de l'automne austral, couve et élève ses petits durant les sombres et destructeurs mois d'hiver. Certains de nos rapaces nocturnes font occasionnellement entendre leur mélancolique cri d'amour en décembre et couvent leurs œufs dès le début de février, au milieu de la saison froide.

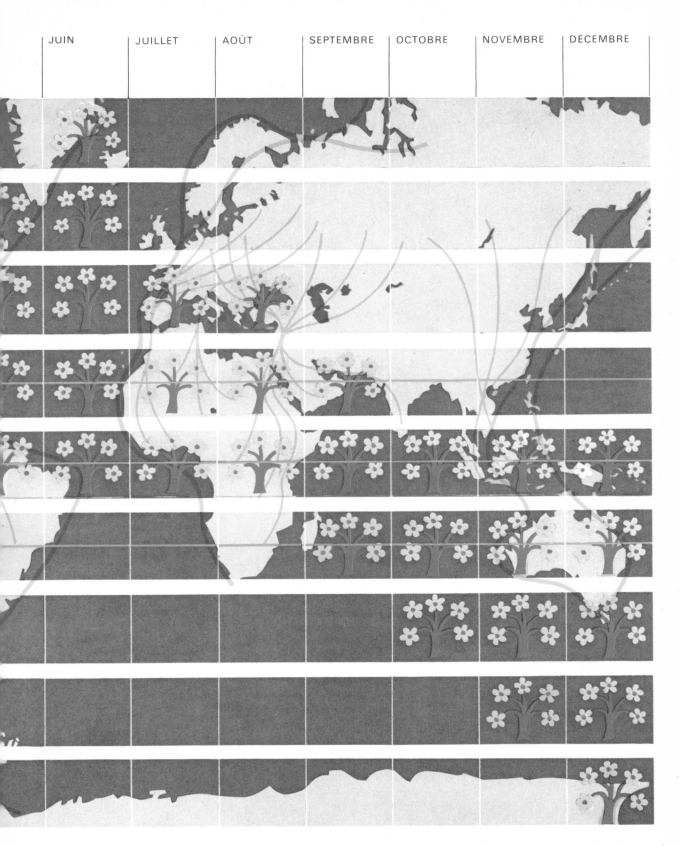

JUIN   JUILLET   AOÛT   SEPTEMBRE   OCTOBRE   NOVEMBRE   DÉCEMBRE

Les arbres en fleurs portés sur la carte symbolisent les principales saisons de reproduction dans les diverses parties du globe. Les lignes de couleurs différentes indiquent les routes suivies par les vols importants. Nombre d'oiseaux migrateurs s'en tiennent aux zones côtières, particulièrement dans le cas des échassiers et des laridés. En revanche, la majorité des oiseaux de l'intérieur des terres préfèrent se déplacer au-dessus des continents — on peut observer au-dessus des isthmes des formations si serrées qu'elles donnent l'impression d'être aspirées par un cône invisible.

DANS LE NORD L'ILE AUX OISEAUX

Les oiseaux de mer sont les plus turbulents de tous. Certains d'entre eux en solitaire, d'autres en groupes innombrables sillonnent les océans à la recherche de poisson. Au printemps, alors que les jours s'allongent, tous se sentent soudain attirés par leurs territoires de reproduction. L'instinct d'accouplement les conduit vers les rocs battus par les flots, les îlots solitaires, les plages sablonneuses.

Depuis l'été précédent, ces rochers désolés ont été désertés; les tempêtes d'automne et d'hiver y ont déferlé et seuls quelques rares isolés de la gent plumée s'y sont posés. Rien ne saurait donner une idée de ce qui se produit ici à la saison des amours.

Au début arrivent quelques rares solitaires, puis s'abattent en véritables nuées pingouins, guillemots, cormorans, sternes, goélands, fous, procellariiformes de toutes variétés... Il s'ensuit une indescriptible confusion. Il paraît tout simplement impossible que tôt ou tard ce chaos puisse se transformer en une disposition précise, ordonnée. Pourtant, l'ordre est déjà imposé depuis les tout premiers jours: chaque mâle commence immédiatement sa cour auprès de la première femelle

Les îles Farne, au large de la côte est de la Grande-Bretagne.

A droite: Les moindres espaces rocheux des îles Farne offrent aux oiseaux des possibilités de nidification. Le plateau est recouvert de guillemots de l'Atlantique, tandis que les mouettes couvent dans les anfractuosités du rocher.

Sur les pages suivantes: Les nids occupent la totalité de l'espace disponible. Les corniches les plus importantes donnent asile aux cormorans huppés et à leurs spacieux nids d'algues. Les mouettes se contentent de failles exiguës pour bâtir leurs nids d'herbe, remarquablement résistants, qu'elles cimentent au rocher à l'aide d'excréments.

qu'il aperçoit; il assiège l'élue de son choix en déployant force gestes menaçants à l'adresse de ceux qui chercheraient à obtenir les faveurs de la belle. Ainsi, les grands cormorans lancent des appels de séduction en battant des ailes, chacun d'eux se tenant strictement sur le territoire qu'il a conquis. Pingouins et guillemots s'inclinent cérémonieusement et accompagnent leurs courbettes de maints dandinements. Les goélands et les sternes ponctuent leurs gestes de cris stridents. Une fois choisi, le lieu de reproduction, qui n'est souvent distant du voisin que d'une envergure d'aile, sera défendu contre tous les intrus et réunira le couple en un lien indissoluble pour les mois à venir. Parmi les milliers de nids et d'œufs – tous identiques aux yeux de l'homme – chaque occupant reconnaîtra sans erreur son minuscule territoire où il accomplira sa tâche pour la perpétuation de l'espèce.

L'accouplement soulève maintes difficultés, même pour le cormoran huppé. Sur sa petite projection rocheuse, subitement le mâle se dresse et se dandine sur ses larges pieds palmés. Jusqu'alors, il a mené une libre existence de pirate et il lui faut à présent accomplir une tâche précise qui l'absorbera totalement, nuit et jour.

En premier lieu, il doit trouver un les plus petites saillies, les moindres failles auront un locataire. Là, il attend le passage d'une femelle qu'il s'efforce de séduire, tête rejetée en arrière, ailes battantes, criant.

Chez les cormorans huppés, le mâle montre au moins autant de discrimination que la femelle. En effet, il est rarement satisfait de la première qui se présente. A maintes reprises, une femelle atti- preuve d'humilité au moyen de mouvements de son corps, très précis et compliqués, qu'elle a déjà esquissés lors de son approche. Si le mâle est sérieusement intéressé, il se lance dans un cérémonial de bienvenue auquel elle participe vigoureusement. Pourtant, elle ne peut se considérer comme agréée que lorsqu'il la laisse seule sur l'emplacement du nid pour partir à la recherche des matériaux de construction. Cons-

endroit approprié pour son nid. Ainsi qu'il est habituel chez les cormorans arctiques, il choisira une étroite corniche rocheuse sur laquelle il peut à peine se retourner. Le temps presse; sous peu, rée par ses invites se pose près de lui et se voit promptement chassée et repoussée hors de la corniche, souvent avec brutalité. Pour être acceptée par son seigneur et maître, elle doit faire ciente de sa responsabilité, elle défendra opiniâtrement le lieu d'élection contre tous les intrus. Quand enfin le mâle sera de retour, brandissant triomphalement un paquet d'algues dans son

Quand le cormoran huppé mâle présente à sa compagne la première touffe d'algues après les préliminaires nuptiaux, celle-ci peut se considérer comme son épouse, car il s'est montré pointilleux sur son choix et rarement satisfait de la première venue. Dès que le couple a conclu son accord, la femelle passera une revue détaillée du lieu de ponte choisi par le mâle et qui consiste généralement en une petite saillie rocheuse. Quelques jours après leur première rencontre, les oiseaux commenceront la construction du nid. Le mâle ira chercher tous les matériaux nécessaires, algues, herbes, de préférence encore mouillées, que la femelle entrelacera en un nid disgracieux mais remarquablement résistant. Celui-ci est obstinément défendu contre tous les intrus.

bec, elle commencera immédiatement à construire le nid.

D'autres variétés de cormorans, qui couvent sur un sol plat, construisent généralement des nids plutôt sommaires; certains d'entre eux vont même jusqu'à se satisfaire d'un amoncellement de leurs propres excréments. Mais le « foyer » de notre cormoran huppé doit être beau et solide. Infatigable, il s'emploie à rapporter les matériaux nécessaires. Outre les algues, il va chercher des touffes d'herbe, parfois fort loin, qu'il plonge dans l'eau de mer avant de les utiliser pour l'édification du nid. Son épouse se voue entière-

ment à la construction du berceau destiné aux enfants. Avec adresse, elle entrelace les matériaux à l'aide de son bec, les retenant parfois de la patte. En temps voulu, la structure est cimentée à la falaise par des excréments apportés de l'extérieur.

Après un temps relativement court, le nid est prêt à recevoir les œufs. Tout comme les autres cormorans, notre héros a amplement le temps de se vouer à la construction du nid durant le jour: pêcheur et plongeur émérite, il peut, sous des conditions favorables, attraper et engloutir sa ration quotidienne en une demi-heure... exploit difficilement égalé par les autres oiseaux.

Manifestement, nos cormorans huppés prennent plaisir à leur travail de constructeurs, car ils continueront à améliorer leur foyer aussi longtemps qu'ils y vivront. Les deux parents participent avec une égale dévotion à l'incubation. Chaque fois qu'ils se relaient sur les œufs intervient un rituel pré-

moment de la couvaison, s'accompagne d'un rituel immuable. Il se soulève, le dos à la mer, le cou tendu en diagonale vers l'arrière. Après quelques mouvements supplémentaires très caractéristiques, il ouvre les ailes et prend son essor. S'il s'envolait brusquement, « sans prévenir » – ainsi qu'il le ferait à la soudaine approche d'un danger – sa compagne pourrait être effrayée et partir à tire-d'aile.

cis, une succession de mouvements curieux dont la complète interprétation soulèverait des difficultés considérables. Ainsi, le départ de l'oiseau, libéré pour un

Chaque emplacement offert par l'île aux oiseaux est occupé; les moindres possibilités ont été exploitées.

Méfiants, les eiders et les sternes de Dougall dissimulent leurs nids dans les rares touffes de végétation. Les sternes arctiques et les sternes caugek couvent en terrain découvert; ces espèces forment en effet des colonies si denses qu'un grand nombre d'oiseaux sont toujours prêts à repousser les prédateurs, même de taille imposante, par de sauvages attaques en piqué. Tout espace relativement plan, qu'il soit constitué de sable, de galets, d'herbe rase ou de rochers, peut servir de lieu de ponte aux sternes. Pingouins et guillemots recherchent une plus grande protection. Ils déposent leurs œufs sur les étroites saillies des falaises abruptes et inaccessibles. Lorsqu'ils nichent sur un plateau, ils sont

invariablement protégés par des à-pics. Cormorans et pétrels choisissent les anfractuosités et les projections rocheuses, tandis que les mouettes accrochent leurs nids d'herbe aux moindres saillies, utilisant des excréments pour les cimenter à la roche.

L'œuf du pingouin commun peut difficilement rouler hors de l'étroite corniche rocheuse. Lorsqu'il est en mouvement, il ne peut décrire qu'un cercle restreint, en raison de sa forme extrêmement conique. Ci-dessous: Contrairement à la plupart des espèces voisines, les mouettes tridactyles couvent sur des saillies rocheuses.

LES GRANDES RÉGIONS DE PONTE DU MONDE

Nous ne pouvons évidemment décrire ici toutes les régions de ponte revêtant une certaine importance. Nous nous contenterons de donner un bref aperçu des lieux offrant le plus d'intérêt sur le plan ornithologique. La carte des pages suivantes mentionnera les principales zones de nidification réparties dans le monde.

*Un guillemot s'occupe
des deux enfants de ses voisins
en même temps que des siens.
Les curieuses marques évoquant des lunettes
ne se trouvent que chez certains sujets
de cette espèce.
La photographie a été prise aux îles Farne,
l'un des nombreux lieux de ponte
des oiseaux de mer
en Grande-Bretagne.*

La GRANDE-BRETAGNE offre, avec ses îlots rocheux, de nombreuses zones de nidification pour les oiseaux de mer. Environ huit mille eiders, des milliers d'oiseaux de diverses espèces se reproduisent chaque année sur les îles Farne. Bass Rock, en Ecosse, accueille approximativement vingt mille fous de Bassan, tandis que près de cent mille de ces derniers et quelque cinquante mille pétrels se retrouvent aux îles Saint-Kilda. Par ailleurs, de nombreux échassiers nichent dans les régions marécageuses ou dans les dunes côtières.

L'ISLANDE procure des zones de reproduction à des milliers d'oiseaux de mer, et ses lacs intérieurs accueillent de très nombreuses variétés de canards et d'oies.

L'ALLEMAGNE possède de nombreuses réserves d'oiseaux de mer, principalement sternes et goélands, dans la mer du Nord et la Baltique. A l'intérieur des terres, les brantes roussâtres, les grèbes à cou noir du lac de Constance sont remarquables, tout comme les cigognes noires, les rolliers d'Europe et les grues des étangs de Lausitz, en Allemagne orientale. Aigles dorés, coqs de bruyère, tétras-lyres, gélinottes des bois, perdrix bartavelles, parmi beaucoup d'autres espèces, se reproduisent dans la région montagneuse de Königssee, en Bavière.

L'AUTRICHE possède, avec ses immenses marécages du lac Neusiedl, d'importantes colonies de grandes aigrettes, de hérons pourprés et cendrés, et de spatules blanches. Echassiers, canards et oies cendrées se reproduisent dans cette région où l'on compte aussi d'intéressants petits habitants des marais. La grande outarde se trouve dans le voisinage, en terrain sec.

L'ESPAGNE et le PORTUGAL offrent des zones de reproduction dans les deltas marécageux du Guadalquivir, de l'Ebre et du Tage. On y trouve diverses variétés de hérons, des cigognes blanches et quelques rapaces diurnes très rares, tel que l'aigle impérial, le milan et le circaète.

La SUISSE dispose d'un parc national permettant à d'intéressantes espèces d'oiseaux de montagne de se reproduire; parmi ceux-ci, on note le grand tétras, le tétras-lyre, la gélinotte, la perdrix-bartavelle, le lagopède muet, l'aigle doré et le grand corbeau. Diverses espèces propres aux régions marécageuses continentales nichent aux abords de petits marais.

La FRANCE dispose en Camargue de vastes zones de reproduction qui hébergent plus de dix mille hérons, des milliers de flamants et divers échassiers. Plus de cent cinquante mille canards y prennent leurs quartiers d'hiver. D'autres régions de ponte pour les échassiers et les oiseaux de mer se situent dans le nord et le nord-est du pays.

La SCANDINAVIE conserve de nombreuses régions marécageuses recherchées par les charadriiformes; canards, oies y abondent, ainsi que des rapaces diurnes et nocturnes. Des milliers d'oiseaux de mer peuplent les zones côtières et les îles.

Les PAYS-BAS et la BELGIQUE disposent d'importantes zones de reproduction pour les oiseaux de mer, les oies, les canards et les sternes, qui abritent aussi des hérons cendrés, des cormorans et des spatules blanches. Lagunes, marais et îlots voient se rassembler par centaines de milliers les oiseaux aquatiques venant du nord en hiver.

L'EUROPE CENTRALE compte d'importantes zones de repeuplement en Union soviétique, en Pologne, en Tchécoslovaquie, en Hongrie où les nombreux lacs marécageux abritent des échassiers, tels que les spatules blanches, divers hérons, ibis, cigognes blanches et noires. La bernache à col roux mérite une mention particulière, tout comme l'aigle pomarin, le balbuzard fluviatile, l'aigle impérial, le pygargue à queue blanche. Avec d'importants quartiers d'hiver pour les oies, les canards et les charadriiformes, les Balkans disposent pour le pélican blanc de l'Est et le pélican frisé, des seuls lieux de reproduction qui se situent principalement en Roumanie, dans le delta du Danube.

AMÉRIQUE DU NORD

Les Everglades, en Floride méridionale, avec leurs dédales marécageux, leurs palétuviers, procurent à une foule d'oiseaux une région de reproduction des plus remarquables. Parmi les échas-
(Suite page 24)

LES GRANDES RÉGIONS DE PONTE D'EUROPE

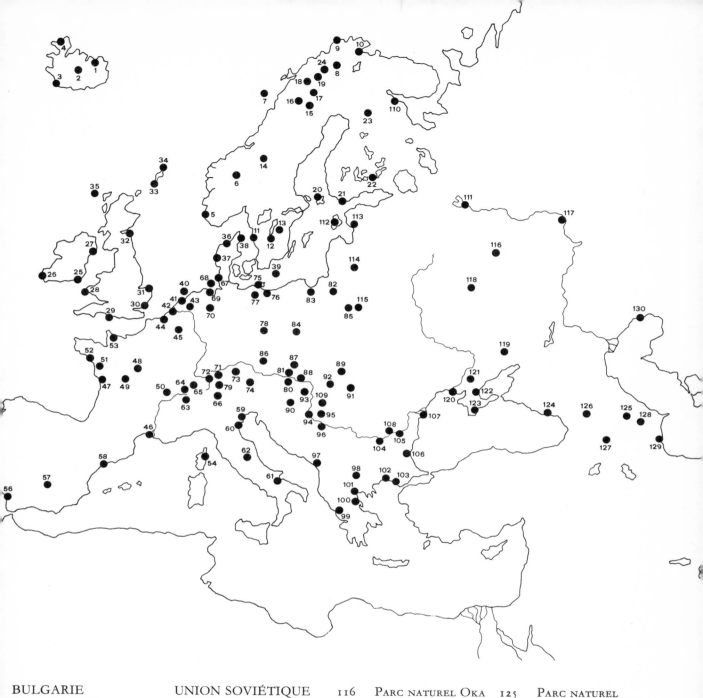

siers, on compte la spatule rose, l'ibis blanc, le jabiru, le courlan, le bec-en-ciseau, le rostrame à bec crochu, divers flamants et le pélican brun. Par ailleurs, d'innombrables oiseaux en transit s'y posent et d'autres y séjournent pendant l'hiver.

Dans le sud de l'Orégon, des zones marécageuses accueillent de nombreuses espèces de canards et d'oies, pélicans blancs américains, diverses variétés de hérons et de cormorans. Plusieurs millions de canards en transit font escale dans cette région.

Bernaches et grues du Canada, canards carolins, plongeons imbrins, tétras, pygargues à tête blanche couvent dans les régions marécageuses et à proximité des lacs et étangs artificiels de Manistee, au Michigan.

Le Canada possède des zones de reproduction particulièrement vastes, dont le parc national Prince-Albert. Deux cent cinquante mille oies des neiges, deux cent mille pétrels ainsi que de nombreuses autres espèces couvent sur l'île de Baffin. Les grues blanches américaines, espèce en voie de disparition dont on ne comptait que quarante-quatre sujets en 1965, se reproduisent au parc national Wood-Buffalo, dans le centre du Canada.

Des colonies d'oiseaux de mer peuvent être observées dans de nombreuses zones côtières et les îles de toute l'Amérique du Nord, mais principalement au Canada.

A Hawaii se reproduisent nombre d'oiseaux de mer du Pacifique, dont trois cent mille albatros de Laysan, les albatros à pied noir, diverses variétés de fous et de sternes et la rarissime bernache des Hawaii ou oie néné. D'autres espèces extrêmement rares, propres à l'intérieur des îles, ne se trouvent que dans cette région.

AFRIQUE

Le long des cours d'eau de l'est et du sud-est de l'Afrique, on peut observer une étonnante variété d'oiseaux. Parmi ceux-ci, notons le jabiru du Sénégal, le tantale-ibis, le bec-ouvert, le héron Goliath, l'aigle pêcheur d'Afrique, l'anhinga et le cormoran, l'oie d'Egypte, le canard siffleur, diverses espèces de râles et de martins-pêcheurs.

La plupart de ces oiseaux se trouvent aussi à proximité des lacs salés, aux eaux peu profondes, domaine des flamants. Au Kenya, sur les lacs Nakuru et Magadi, s'ébattent à certaines saisons trois millions de flamants de grandes et de petites variétés. Parfois, l'eau semble recouverte d'un immense tapis rose – un spectacle fascinant.

Dans la savane et la brousse, on découvre des oiseaux remarquables tels que l'autruche, la grue couronnée, le serpentaire, le corbeau-pie d'Afrique, des colonies de tisserins et de becs-de-cire, l'outarde de Heuglin et l'outarde kori, la pintade

et le francolin, ainsi que des joyaux tels que le rollier à queue fourchue et divers guêpiers.

Une vie intense se perpétue dans la brousse de l'Afrique centrale et occidentale, mais elle est infiniment plus difficile à observer.

Sur les rives méditerranéennes de l'Afrique du Nord, on dénombre de remarquables colonies de hérons. Des myriades de flamants, pélicans, cormorans, goélands, sternes se reproduisent au Beau-d'Arguin, île de Mauritanie récemment découverte. D'immenses colonies d'oiseaux de mer, comptant plusieurs centaines de milliers de cormorans, ainsi que les manchots du Cap nichent sur les îles et le long des côtes d'Afrique du Sud.

AMÉRIQUE DU SUD

Ce n'est pas sans raison que l'Amérique du Sud a été baptisée le «continent aux oiseaux»; on y compte en effet une plus grande diversité d'espèces que partout ailleurs, bien que leur observation soit très difficile. La multiplicité de leurs cris et l'ampleur de leur tapage peuvent seules donner une idée de leur nombre dans la forêt équatoriale. Les oiseaux les plus remarquables de ces régions s'apparentent aux psittaciformes: perroquets et perruches, aras aux couleurs chatoyantes. On relève aussi des toucans, avec leur bec grotesque, et de nombreuses espèces de colibris. A proximité des berges se rassemblent jabirus, hérons, spatules roses, ibis pourprés...

De multiples espèces vivent dans les régions inhospitalières de la Terre de Feu et des Andes. Sur les rives des lacs, souvent à plus de quatre mille mètres d'altitude, se reproduisent canards, râles, grèbes, ibis, flamants. Les diverses variétés de manchots couvent le long des côtes et sur les îles de l'extrême sud, ainsi que les goélands, albatros, sternes, canards, pétrels-tempête...

La côte occidentale et ses îles possèdent une population d'oiseaux très importante, particulièrement au Pérou. Cormorans, pélicans bruns, fous, goélands, sternes incas, manchots se rassemblent par millions sur les seules îles à guano du Pérou méridional.

Les îles Galapagos offrent un intérêt considérable sur le plan ornithologique. La plupart des quatre-vingt-neuf espèces relevées sur les îles ne se reproduisent qu'à cet endroit précis, notamment l'albatros, le manchot, le cormoran aptère, la mouette à queue fourchue, le goéland obscur, la buse, le nesopelia, le nesomimus; toutes ces variétés sont propres aux Galapagos, tout comme les fameux géospizinés.

L'ANTARCTIQUE

D'innombrables oiseaux de mer appartenant à diverses familles, parmi lesquels l'albatros, le manchot empereur, se reproduisent sur les côtes du continent antarctique.

L'abondance de poisson des froides mers septentrionales fournit l'alimentation de myriades d'oiseaux. La population des macareux-moines – représentés sur notre illustration – est estimée à 15 millions. Cette curieuse espèce, à peu près de la taille de nos pigeons, vit sur mer, sauf à la période de reproduction, quand les oiseaux se rassemblent sur les îles et le long des côtes sauvages.

AUSTRALIE

Des oiseaux très étranges vivent en Australie et dans les îles avoisinantes. Citons simplement les talégalles, qui construisent des fours à couver, l'oiseau à berceau et, en Nouvelle-Zélande, le kiwi aptère, tout comme le notornis. Le long des côtes de la Nouvelle-Zélande, de la Tasmanie et de l'Australie méridionale, on trouve d'importantes colonies de manchots, d'albatros, de pétrels, de sternes... Perroquets et cacatoès se reproduisent dans les régions plus chaudes. La Nouvelle-Guinée présente nombre d'oiseaux inhabituels, notamment dans la jungle humide, en altitude, où les splendides paradisiers s'accouplent et couvent.

ASIE

Les archipels de l'Asie du Sud hébergent une foule d'oiseaux. Trois cent quarante espèces se reproduisent dans la seule île de Java. Aux Célèbes, quatre-vingt-quatre espèces, s'apparentant pour la plupart aux râles, aux pintades et aux pigeons sont particulières à ces îles. L'Asie méridionale est le paradis des faisans dont les nombreuses variétés rivalisent par la splendeur de leur plumage. Aux abords des points d'eau se reproduisent hérons, canards siffleurs, râles, le curieux jacana à longue queue, l'anhinga, les martins-pêcheurs... Là vivent aussi, dans les grottes, en énormes colonies, les salanganes dont les nids de salive sont comestibles.

Le Japon dispose de plusieurs réserves qui accueillent des espèces extrêmement rares, dont la grue de Mandchourie, l'albatros de Steller, le guillemot antique, l'ibis chevelu et certains columbiformes.

L'Inde possède de gigantesques colonies de flamants, de divers échassiers et d'oiseaux aquatiques. Des variétés rares de pintades et des multitudes de petits oiseaux couvent dans l'Himalaya. La plus ancienne réserve d'oiseaux de l'Inde fut fondée au XVIIIe siècle, dans les environs de Madras.

Le thème
de l'accouplement
offre de nombreuses
variations.
Les coutumes
présidant au mariage
diffèrent considérablement,
mais la perpétuation
de l'espèce
exige de deux oiseaux
qu'ils forment
le couple.

L'instinct de conservation et celui de la perpétuation de l'espèce priment tout. Rien ne saurait être aussi important que satisfaire à leurs exigences les plus puissantes, les plus impérieuses. Quand le moment est venu, le besoin de procréer devient irrésistible.

Il faut toujours être deux pour accomplir cette tâche primordiale. L'instinct grégaire de la plupart des oiseaux peut nous induire en erreur. Presque invariablement, nous rencontrons nos amis à plumes en groupes, en vols, et certaines espèces mènent une vie sociale si étroite qu'une observation très attentive des populations denses est nécessaire pour identifier individuellement les couples, même au moment de la reproduction. Pourtant, les assemblées les plus compactes, comme celles que forment la plupart des variétés d'oiseaux de mer, sont constituées de couples.

Généralement, les deux partenaires font preuve de fidélité mutuelle; leur rencontre donne lieu à de touchantes marques de tendresse et à nombre d'effusions; ils ne rompent leur union que lorsque leurs petits sont capables de se tenir sur leurs pattes. Même

dans les espèces polygames, la nature met l'accent sur le couple. La copulation, le processus d'union physique et mécanique ne peut conduire à la fertilisation que si l'«état d'esprit» des deux partenaires parvient à l'unisson. Chaque oiseau cherche à impressionner l'élu ou l'élue de son choix en déployant un certain rituel, en criant, afin de faire valoir sa beauté et ses prouesses, et il amène ainsi son ou sa partenaire à l'état d'exaltation propice. Dans le cas où le mariage est dissous immédiatement après les épousailles, il n'en demeure pas moins que, durant quelques minutes, toute l'attention, le tempérament, la passion ont été voués au partenaire, considéré comme l'unique représentant de l'autre sexe.

Les oiseaux peuvent se montrer extrêmement individualistes, comme le pic-vert, ou sociables, comme le flamant; qu'ils gardent le partenaire qu'ils ont choisi pour la vie, comme les oies, ou qu'il s'agisse de «joyeux don Juan», tels que les paons, l'accomplissement de leur importante mission, la perpétuation de l'espèce, a exigé que deux oiseaux forment un couple.

LA CONSTRUCTION DU FOYER

Les oiseaux ont voulu se jouer des lois de la pesanteur et régner sur l'espace aérien. Réaliser un dessein aussi présomptueux exigeait grande souplesse et adaptabilité.

Leurs ancêtres, les reptiles, enfouissaient leurs œufs dans le sol, laissant à la chaleur solaire le soin de les mener à éclosion. Les importantes pertes se voyaient compensées par des pontes accrues. Bien entendu, cette méthode n'est viable que dans les régions tempérées et chaudes — et elle est vouée à l'échec si le sujet ambitionne de voler. Le poids des œufs à l'intérieur du corps rendrait périodiquement tout vol impossible. De ce fait, l'oviducte de l'oiseau ne contient qu'un seul œuf à la fois, ce qui l'oblige à observer des intervalles d'un ou deux jours entre chaque ponte.

Les œufs et la progéniture devaient donc être soigneusement protégés. Par ailleurs, la conquête des régions froides de la Terre obligeait les parents à procurer aux embryons une chaleur

ARDEA PURPUREA, Linn.

Le héron pourpré construit son nid de joncs
à l'abri d'une touffe de roseaux.

La végétation marécageuse fournit une protection aux œufs de foulque, déposés le plus souvent à ras du sol. Des tiges de roseaux sont recourbées sur le nid afin que celui-ci échappe aux regards des prédateurs. Leur coloration confère aux œufs un excellent camouflage.

qui ne pouvait être que celle de leur propre corps. Les mammifères résolvent généralement ce problème en ne mettant au monde leurs petits que lorsque ceux-ci ont atteint un stade de développement avancé; l'augmentation de poids qui va de pair avec la longue gestation ne les préoccupe guère puisqu'ils n'ont pas à voler, à quelques rares exceptions près.

Les oiseaux ont appris à dissimuler leurs œufs, à les protéger et à les garder au chaud sous leur corps. Au cours de leurs recherches en vue d'améliorer cette méthode, ils ont «inventé» les nids dont la variété de formes s'accorde à la diversité des espèces – qu'il nous suffise d'évoquer le colibri et l'autruche, le manchot et le martinet noir.

Il existe toute une gamme de nids, depuis la simple dépression du sol jusqu'au chef-d'œuvre sphérique, adroitement tressé, en passant par les cavités de tous ordres, les aires de branchages pesant plusieurs tonnes et les amoncellements de feuilles impressionnants.

Il nous est impossible de savoir comment les oiseaux ont appris à construire un nid. Nous devons donc nous en tenir aux conjectures et à l'imagination. Vraisemblablement, l'évolution s'est produite de la manière suivante: le plus simple était de déposer les œufs directement sur le sol. Mais, comme ils constituaient une nourriture riche et délicieuse, il fallut bien vite les protéger des divers amateurs. Comment procéder?

L'oiseau pouvait recouvrir son œuf dès la première ponte; immobile, il s'intégrait au milieu ambiant grâce à la coloration neutre de son plumage; par ailleurs, ne possédant pas de glandes sudoripares, l'oiseau ne dégage pratiquement aucune odeur. Cette méthode, encore employée de nos jours par diverses espèces, comporte un inconvénient majeur: les petits viennent au monde à un ou deux jours d'intervalle. Or, au stade actuel de l'évolution, la plupart des oiseaux couvant à terre ne commencent à réchauffer leurs œufs que lorsqu'ils ont tous été pondus. Le développement des embryons intervient simultanément et les petits, généralement nidifuges, naîtront en quelques heures. Chez les espèces nidicoles, qui disposent de nids bien protégés et dissimulés, l'in-

cubation peut commencer dès la ponte du premier œuf.

Dans l'impossibilité de couver immédiatement, les oiseaux qui pondaient à terre durent apprendre à dissimuler leurs œufs dans l'herbe, à les recouvrir de fragments végétaux avant de les abandonner, ou même à leur procurer avant la ponte des couleurs ou des marques de camouflage. D'autres espèces recherchèrent des cavités, crevasses rocheuses, arbres creux, falaises à pic, îles pour y trouver une protection. D'autres apprirent à creuser des chambres d'incubation dans le sol ou à les tailler dans des troncs d'arbre.

Un animal capable de voler pour
échapper à ses ennemis usera de
cette aptitude en vue de protéger
sa précieuse progéniture. Les
cavités offertes par les arbres et
les roches sont rares, et il est
aléatoire de confier des œufs à
une branche. Grâce à leur adaptabilité, les oiseaux commen-
cèrent à utiliser des brindilles
pour construire de simples plates-
formes entre deux branches four-
chues. Puis, les plus adroits pro-
duisirent des structures hémi-
sphériques, délicatement entrelacées à l'aide de toutes sortes
de fragments végétaux et tapis-
sées de fibres, tiges, plumes, poils,
etc. Ces réalisations atteignent le
summum de l'art dans les nids
sphériques comportant un tunnel
d'accès, chefs-d'œuvre dignes de
toute notre admiration.

*De la taille d'une tête d'enfant, le nid ovoïde,
absolument clos, des mésanges à longue queue
est un chef-d'œuvre. Le couple ingénieux achèvera
la structure en trois semaines. Généralement
placé bas et logé contre le tronc d'un arbre, il est
remarquablement résistant grâce à ses parois
épaisses constituées de fibres végétales délicatement entrelacées, de mousse, poils, toiles
d'araignée. L'extérieur est habilement camouflé
par des lichens. On a dénombré à l'intérieur
plus de 2000 petites plumes formant un revêtement douillet.*

Merveilleux berceaux

La beauté des nids d'oiseau, la splendeur des constructions, souvent exécutées avec une adresse stupéfiante, ne peuvent être exactement rendues par une représentation photographique. La présence de feuillage, par exemple destiné à dissimuler le nid, les jeux d'ombre et de lumière em-pêchent d'atteindre à la perfection dans ce domaine. En revanche, un peintre peut omettre tout détail superflu ; ainsi, les artistes de tous les temps, spécialisés dans le dessin d'oiseaux, ont tenu à rendre justice à ces fascinantes architectures. Un siècle s'est écoulé depuis que John

Contrairement à la plupart des charadriidés qui couvent au sol, la femelle du chevalier cul-blanc pond ses quatre œufs à la cime des arbres, dans les nids abandonnés de grive et de geai.

Le merle noir rend son nid de brindilles plus compact par l'apport de terre et de bois mort.

L'étourneau-sansonnet élève sa progéniture dans les creux d'arbre, les anciens nids de pic, les nichoirs et autres cachettes.

Le jaseur de Bohême couve dans les régions septentrionales de l'Europe et du Nouveau-Monde, où il s'agglomère aux colonies de reproduction dans les forêts de conifères.

Devant le nid négligé du moineau domestique, il est difficile de voir en lui le proche parent d'un architecte aussi chevronné que le tisserin.

Le bec-croisé des sapins construit son nid en broussailles de janvier à mars ; il profitera des jeunes pousses de conifère pour nourrir sa progéniture.

Les bouvreuils construisent en couple leur nid de brindilles dans les arbustes, de préférence des conifères. L'intérieur en est tapissé de petites racines.

L'élégante mésange à longue queue construit son joli nid sphérique au creux des branches four-chues ou dans la broussaille. Généralement, lichens et toiles d'araignée sont utilisés afin d'intégrer le nid au milieu ambiant. L'intérieur est garni de nombreuses petites plumes.

Comme le merle noir, la grive-litorne remplit de glaise les interstices de son nid de brindilles, revêtu par la suite de brins d'herbe.

La huppe pond dans les creux d'arbre ou les trous de mur. En cas de danger, la femelle et les jeunes dégagent une odeur pestilentielle; en outre, les petits lancent des giclées d'excréments à la face de l'ennemi présumé.

Gould, sans doute le plus grand de ces maîtres, publiait son œuvre gigantesque: 41 volumes conte-nant plus de 3000 illustrations, représentant avec minutie des oiseaux et leurs nids. Les douze lithographies reproduites ici sont extraites de ses deux ouvrages: *Oiseaux de Grande-Bretagne* et *Oiseaux d'Europe*.

La grive musicienne cimente l'intérieur de son nid à l'aide de glaise. Les œufs sont déposés directement sur la surface durcie, sans autre apport.

Les hérons cendrés construisent de grandes aires, de préférence à la cime des arbres, ou édifient sur les berges des nids de roseaux qu'ils rénovent et agrandissent au fil des ans.

LES OISEAUX NICHENT PARTOUT

Nombre d'oiseaux ont appris à vivre au cœur des villages et des cités; ils y trouvent leur nourriture et se reproduisent à proximité immédiate de l'homme. L'hirondelle de cheminée, par exemple, construit son nid dans les écuries, granges, cuisines, et même dans les usines, sans être inquiétée par les activités bruyantes.

Aucun animal
ne pouvait
repousser
les limites
de l'impossible
à l'égal
de l'oiseau.
Sa faculté
d'adaptabilité
inégalée
lui a ouvert
les régions
les plus
inhospitalières.

Partout où la nature leur a offert une chance de perpétuer l'espèce, aussi mince fût-elle, les oiseaux l'ont mise à profit.

Avec sa multitude d'«abris écologiques», la forêt tropicale offrait les plus grandes possibilités de développement. L'abondance de la végétation et de la vie animale, ainsi que l'éventail infini des endroits propices à la nidification devaient permettre l'épanouissement des espèces les plus variées; dans les seules forêts de Colombie, on en a dénombré plus de 1550. La plupart de ces oiseaux construisent leur nid à la cime des arbres ou dans les troncs; d'autres nichent à l'abri de cavités qu'ils ont eux-mêmes forées dans la terre; d'autres encore au sein des marécages et sur l'eau.

Outre une température favorable à la perpétuation de l'espèce, les forêts tropicales offrent une nourriture abondante et une protection efficace. Mais d'autres oiseaux vivent et se reproduisent dans des conditions extrêmes, souvent en colonies particulièrement denses.

Ainsi, le climat de haute montagne, si hostile à la vie, ne rebute pas les oiseaux. Rarement, les zones de reproduction dépassent 4000 mètres d'altitude, mais on a observé des centaines de milliers d'oiseaux aquatiques hantant les lacs des Andes, à quelque 4500 mètres d'altitude. Là, divers canards, grèbes et râles sont aussi nombreux que sur les mares bien approvisionnées en nourriture d'un jardin zoologique; les berges marécageuses regorgent de hérons, ibis, goélands et pluviers. Celui qui, dans les Andes, a eu l'occasion d'observer le nid flottant d'un grèbe, gorgé d'eau glacée, s'étonnera à la pensée que des embryons puissent se développer dans de telles conditions.

Toutes les couvées ne sont pas aussi résistantes. Canards, poules d'eau et autres rallidés construisent leur nid sur des monticules et des îlots. Ceux qui s'installent sur la berge risquent d'être surpris par un renard affamé qui pillera le nid. Pour pallier la rareté des emplacements bien isolés, la foulque géante construit d'immenses îles flottantes, de plusieurs mètres de diamètre, qui sont rénovées et réoccupées chaque année.

Les foulques cornues ont une méthode étonnante pour résoudre le problème de la rareté des

îles. Elles empilent des cailloux sur un haut-fond et, lorsque le tas dépasse largement la surface, elles le coiffent d'un nid de fragments végétaux. De tels édifices peuvent atteindre plus de trois mètres de diamètre à la base et peser plus d'une tonne.

On trouve dans ces régions d'autres espèces encore plus inattendues que les oiseaux aquatiques. Ainsi, on dénombre plusieurs variétés de colibris, généralement si friands de soleil. Ici, ils construisent leur nid douillet à l'aide de fibres végétales dans les crevasses rocheuses, plutôt que dans les buissons. En l'absence de troncs d'arbre, le colapte rupticole creuse de profondes cavités dans la terre.

Les eaux des régions polaires, extrêmement poissonneuses, offrent une nourriture abondante aux oiseaux, mais nicher dans ces zones pose souvent des problèmes quasi insolubles. Ainsi, aux îles Orcades, presque entièrement recouvertes de glace, apparaissent au cours du bref été austral quelques plaques de lichens qui sont mises à profit par les dix-sept espèces qui couvent en grande hâte dans une promiscuité indescriptible.

Dans ces régions, chaque possibilité de nidification doit être exploitée. Petite projection rocheuse, crevasse, corniche, aussi étroite soit-elle, est occupée. S'il n'existe pas de matériaux pour le nid, l'œuf est souvent posé à même le roc, parfois en des endroits envahis par l'eau provenant de la fonte des glaces.

Toujours aux limites extrêmes, les oiseaux nichent aussi dans les régions désertiques; ils ne subsistent alors qu'avec une quantité de liquide minime. D'autres, dont les besoins en eau ne sont pas aussi bien adaptés aux conditions locales, volent chaque jour sur des distances considérables pour pouvoir se désaltérer. Parmi

eux, le goéland gris qui niche dans les déserts salpêtrés du Pérou et du Chili, souvent à plus de cent kilomètres des côtes. Certains gangas couvrent chaque jour les distances considérables séparant leurs lieux de reproduction du point d'eau le plus proche.

Le cas d'adaptabilité le plus étonnant nous est fourni par les oiseaux vivant au cœur de la civilisation humaine. Alors que les autres espèces ont eu des millénaires pour s'habituer à un nouvel environnement, ceux-ci ont résolu le problème en quelques décennies, augmentant souvent leur nombre et mettant à profit l'apport de l'homme.

Fourrés, buissons drus, broussailles en bordure de bois, haies sont très recherchés pour les nids. Divers hérons, principalement parmi les espèces les plus petites, couvent dans les buissons ou à leur cime. Les variétés de coucous qui assurent eux-mêmes la couvaison choisissent de tels emplacements ; quant aux espèces parasites, elles optent souvent pour les nids d'hôtes construits dans les buissons. Nombre de passereaux, coliiformes et colibris dissimulent le berceau de leurs petits dans les broussailles. Certains gallinacés ont abandonné le sol pour nicher au faîte des buissons.

AU SOL

Tous les ratites, tinamous et ptéroclidiformes, ainsi que la plupart des gallinacés et des caprimulgiformes, nichent au sol ; divers falconidés, perruches, strigidés, cuculiformes et de nombreux passereaux déposent leurs œufs sur le sol nu, dans des creux patiemment grattés ou dans d'ingénieux nids posés à même la terre.

DANS LES TERRIERS

Les kiwis, quelques piciformes, divers rolliers et trogons creusent des terriers pour leur progéniture. Certains strigidés, perruches et passereaux utilisent les cavités naturelles du sol ou les terriers d'autres animaux, tels que les lapins.

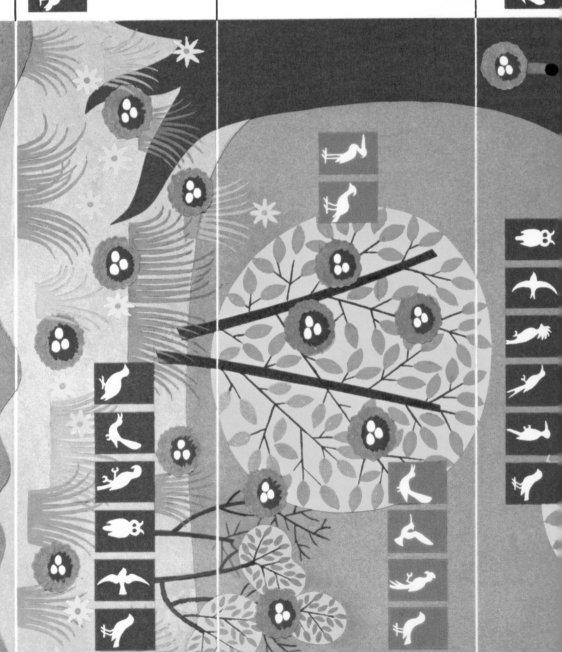

L'OMNIPRÉSENCE DES NIDS

Sur cette page et les deux suivantes, nous présentons schématiquement la façon dont les oiseaux ont, au cours de leur évolution, exploité chaque possibilité qui leur était offerte pour la perpétuation de l'espèce.

LA CIME DES ARBRES

Les nids construits très haut dans les arbres sont généralement l'œuvre de gros oiseaux. Hérons, ibis, cigognes y forment souvent des colonies, tandis que les falconidés, strigidés et corvidés préfèrent s'y isoler en couples. Les passereaux sont souvent les sous-locataires des grandes aires édifiées en plusieurs années. Certains petits oiseaux bâtissent leurs nids sous les constructions dues aux falconidés.

PARMI LES BRANCHES

La plupart des columbiformes, certaines perriches, les cuculiformes, quelques engoulevents et martinets, colibris et coliiformes, ainsi que nombre de passereaux, construisent leurs nids dans les branches. Ces structures, généralement sphériques ou en forme de bourse, peuvent être amarrées aux rameaux, bâties dans les fourches, collées latéralement à une branche ou à de larges feuilles, ou, habilement tissées, être suspendues aux extrémités flexibles. Nombre de ces nids sont merveilleusement camouflés par l'apport de lichen et de mousse.

AU CREUX DES ARBRES

La plupart des pics couvent dans les troncs d'arbre ; les cavités qu'ils abandonnent sont souvent utilisées par d'autres familles troglodytes, certains passereaux, rolliers et martinets. Perriches et trogons forent à coups de bec des troncs dans les troncs pourris. Cer-

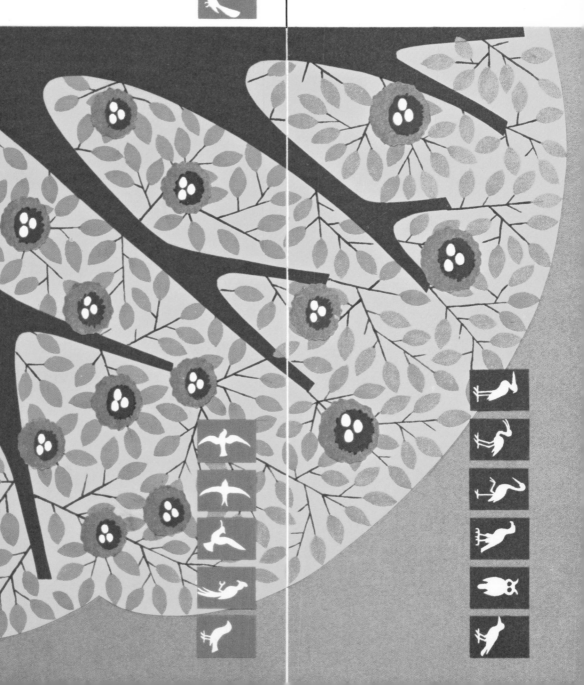

Divers pélécaniformes, hérons, quelques canards et gallinacés, sternes, certains rallidés et de très nombreux passereaux construisent leurs nids dans les buissons proches de l'eau.

DANS LES GROTTES PROCHES DE L'EAU

Les excavations et cavités naturelles de roche ou de terre, proches de l'eau, sont utilisées par nombre d'alcéiformes, pétrels, sphéniciformes, ainsi que par quelques canards et presque tous les martins-pêcheurs.

AU SOL, À PROXIMITÉ DE L'EAU

La plupart des plongeons et des échassiers, les mouettes, pétrels, manchots, ansériformes, divers pélécaniformes, rallidés, ainsi que certains strigidés, falconidés et passereaux couvent au sol à proximité de l'eau. Nombre d'entre eux se contentent d'une simple dépression du sol, tandis que d'autres construisent leurs nids à l'aide de fragments végétaux, coquilles et cailloux.

DANS LES ROSEAUX

Certaines espèces de hérons, divers ibis et les spatules implantent leurs colonies de reproduction à l'abri des roseaux. De nombreux canards et râles, ainsi que certains passereaux, nichent dans de telles zones. Les coucous confient souvent le soin de leur progéniture à des passereaux couvant dans les roseaux.

RADEAUX ET BUTTES

Les grèbes, certains canards et oies, mouettes et râles construisent des radeaux à l'aide de fragments végétaux ou édifient des nids sur des buttes plantes d'ajoncs.

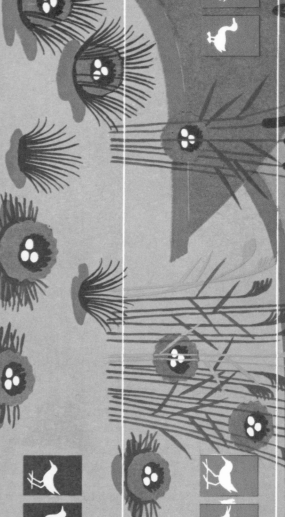

SUR LES PLATEAUX ROCHEUX

Divers pélécaniformes et certains alciformes se reproduisent sur des plateaux rocheux, généralement bien
protégés par des falaises à pic. Presque invariablement, ils forment des colonies très denses. A certaines
époques, les couples de diverses espèces se rassemblent
par myriades sur ces emplacements.

SUR LES PAROIS ROCHEUSES

Saillies, anfractuosités, crevasses de falaises à pic
fournissent d'excellents emplacements pour les nids,
en raison de la protection naturelle qu'elles offrent,
d'où le choix de diverses espèces. Certains falconidés
construisent leurs aires sur de larges avancées rocheuses. Généralement, ils les utilisent plusieurs
années et les agrandissent constamment, ce qui a pour
résultat des structures véritablement monstrueuses.
Certains strigidés et passeriformes y couvent aussi
par couples. La plupart des autres espèces nichant
sur les falaises – divers procellariiformes, pélécaniformes, alciformes, laridés, sternidés, apodiformes,
quelques columbiformes, entre autres – constituent des
colonies plus ou moins denses sur ces emplacements.
Ces oiseaux bâtissent généralement des nids robustes
avec des algues, herbes et autres végétaux qu'ils
cimentent au rocher avec des excréments pour plus
de sécurité. Les apodiformes incorporent aux matériaux leur saline visqueuse, collante, utilisée par
certains comme unique matériau. Ils fixent ces nids
directement sur la paroi lisse des à-pics. Les pingouins déposent leurs œufs piriformes sur la surface
nue des corniches et des entablements rocheux.

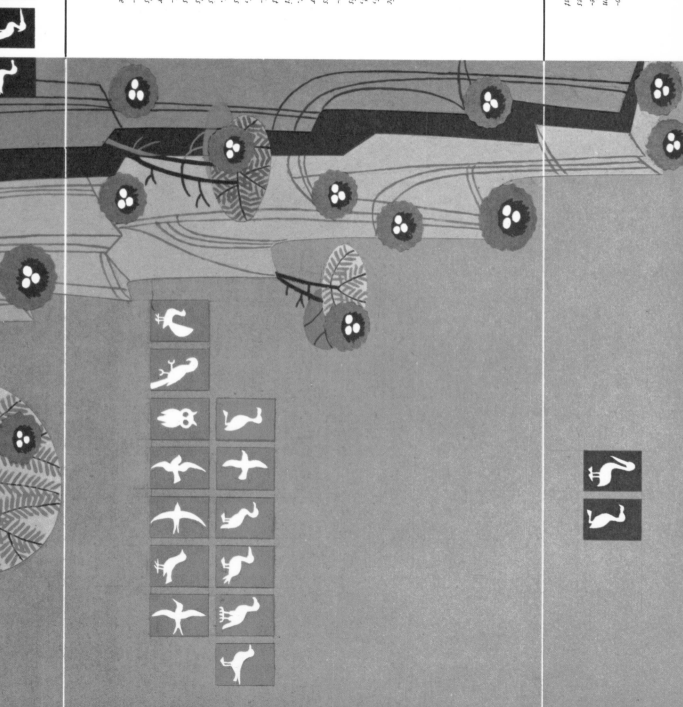

La protection des œufs et de la progéniture est indispensable à la perpétuation de l'espèce. Les oiseaux ont abordé ce problème de diverses façons; l'une des plus efficaces est celle que découvrirent les «habitants des cavernes». Les hirondelles de rivage s'agglomèrent aux flancs des carrières et des falaises d'argile de l'Europe et du Nouveau-Monde. Aussi étonnant que cela puisse paraître, ces oiseaux aux pattes frêles creusent, à l'aide de leurs griffes acérées, des tunnels horizontaux pouvant atteindre un mètre et demi de long, se terminant par une chambre d'incubation, souvent dans des sols extrêmement durs. Un emplacement favorable, une veine de sable, par exemple, peut abriter des milliers de cavités, comme nous pouvons le voir sur la photographie du haut, ci-contre, représentant une colonie d'hirondelles de rivage.

Comme tous les méropidés, les guêpiers à gorge rouge, représentés en bas, ci-contre, nichent en colonies denses sur un minimum d'espace. En revanche, les cavités creusées par les martins-pêcheurs sont beaucoup plus espacées, car chaque couple revendique un droit exclusif sur son lieu de pêche.

CHEFS-D'ŒUVRE

De nombreux oiseaux sont passés maîtres dans l'art de la construction du nid. Ils entrelacent, tissent, collent, cimentent, cousent même de fascinantes merveilles pour leurs petits. Certains des plus étonnants berceaux d'oiseaux sont représentés sur cette double page.

Les républicains construisent autour d'une forte branche un toit communautaire qui, constamment agrandi, abritera souvent plus de cent vingt nids ; ceux-ci sont utilisés pendant plusieurs années.

Les martinets cayenne utilisent leur salive pour construire des tubes qui pendent des surplombs rocheux. Ces tubes, d'environ 60 centimètres de long, ouverts en bas, comportent une petite plateforme concave destinée à recevoir les œufs.

Au centre et à droite : Les rousserolles effarvattes tissent des bourses profondes qu'elles fixent à plusieurs tiges de roseaux, construisant ainsi une ingénieuse demeure sur pilotis.

A droite : La fauvette couturière perfore les bords d'une ou de plusieurs feuilles qu'elle coud à l'aide de fibres végétales ou animales en une sorte de cône qui recevra un nid douillet.

Les fourniers d'Amérique du Sud fabriquent des structures sphériques en argile sur les branches et les poteaux télégraphiques. Durcis par le soleil, ces nids offrent une excellente protection aux jeunes.

Les martinets des arbres collent à la paroi latérale d'une branche une minuscule bourse, juste assez grande pour recevoir l'unique œuf, collé aussi à l'aide de salive. Il s'agit du plus petit nid qui soit par rapport à la taille de l'oiseau.

Le leipoa ocellé mâle creuse une fosse d'environ un mètre de profondeur sur deux de large; il la remplit de feuillage qu'il recouvre d'un tas de sable d'un mètre de haut sur cinq de large. Les œufs enfouis sont couvés par la chaleur que dégage la fermentation des feuilles en décomposition – la température est constamment vérifiée et réglée par le mâle.

Certaines espèces de tisserins atteignent le summum de l'art dans le domaine de la construction. Leurs nids sphériques sont artistement tissés de délicates fibres végétales.

Les foulques cornues empilent des cailloux dans l'eau, constituant ainsi des îles artificielles qui atteignent parfois quatre mètres de diamètre à la base, un mètre de hauteur et pesant plus d'une tonne. Un nid de fragments végétaux vient coiffer de tels édifices.

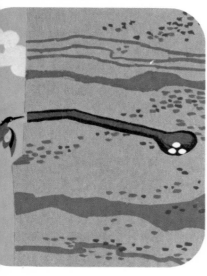

Les guêpiers creusent dans les berges un tunnel horizontal d'un mètre cinquante à trois mètres de long, comportant un coude aigu et se terminant par une chambre d'incubation.

A coups de leurs becs puissants et pointus, nombre de pics taillent des cavités piriformes dans les troncs d'arbre. Quelques espèces creusent des tunnels d'incubation dans le sol ou dans les termitières.

Le martinet des palmes utilise sa salive pour former une petite bourse plate, pas plus grande qu'une cuillère à café, à l'extrémité d'une feuille de palmier. Les œufs sont collés à la paroi du nid.

*La rémiz penduline accroche son nid,
d'une perfection très poussée,
à l'extrémité flexible d'une branche de saule.
Ses parois épaisses, solidement construites,
gardent si bien la chaleur
que les enfants d'Europe orientale
les ramassent en automne
pour les utiliser comme chaussons en hiver.*

LE PIED-«BERCEAU»...

Le manchot royal et le manchot empereur sont les seuls oiseaux qui n'aient pas besoin de nids ni de points de nidification établis. Ils couvent sur la neige et la glace du cercle Antarctique. L'unique œuf, qui repose sur les pattes au rembourrage épais du père ou de la mère, est réchauffé par un repli abdominal enveloppant.

... ET LES CAILLOUX, MATÉRIAUX DE CONSTRUCTION

Certains petits manchots recherchent les grottes et les failles rocheuses pour y couver, tandis que d'autres espèces préfèrent nicher en terrain découvert. Quelques-uns d'entre eux n'utilisent aucun matériau pour leurs nids, mais d'autres se contentent de ramasser des objets dans le voisinage – généralement des pierres. Les manchots d'Adélie semblent se complaire à voler les cailloux rassemblés par leurs voisins.

LA FORTERESSE

Les calaos recherchent les troncs d'arbre creux pour y couver. La cavité doit être suffisamment spacieuse pour abriter ces oiseaux dont la taille varie entre celle de la corneille et celle de l'oie, ce qui nécessite parfois des chambres de couvaison de plus de cinquante centimètres de diamètre. Dès que l'emplacement du nid a été choisi, la femelle rapporte de petites boules de terre humide dont elle se sert pour murer l'ouverture de la cavité, ne laissant qu'un espace restreint lui permettant de se glisser à l'intérieur. Le mâle apporte alors sa contribution de glaise qui est employée par la femelle pour parfaire la fermeture de son nid qui n'offrira plus qu'une étroite fente verticale par laquelle elle pourra passer le bec et se débarrasser des détritus. Quand les jeunes sont sortis de la coquille, la femelle casse la paroi et abandonne la cavité dont la fermeture est immédiatement reconstituée par les petits qui assurent ainsi leur propre protection.

LES NIDS DE SALIVE

Les fameux «nids d'hirondelle», considérés comme un mets délicat par les Chinois, sont célèbres dans le monde entier. Contrairement à une opinion très répandue, ils ne sont pas produits par des hirondelles mais par des salanganes qui s'apparentent à l'engoulevent et au colibri. Pendant longtemps, on ne parvint pas à percer le mystère des matériaux de construction utilisés pour ces nids. On supposait qu'ils provenaient de la mer et étaient ramassés sur les grèves, d'autant que ces oiseaux nichent généralement dans les grottes, le long des rivages. Depuis, on a constaté que les salanganes fabriquent leurs nids à l'aide de salive. Avant la saison de reproduction, les glandes salivaires de ces oiseaux s'hypertrophient et produisent une sécrétion visqueuse, transparente, incolore. Par des mouvements de tête latéraux, cette sécrétion est déposée par couches successives sur la paroi rocheuse et abrupte, afin de constituer un nid hémisphérique qui ne tarde pas à prendre une consistance rappelant quelque peu celle de la corne. Les ramasseurs de nids s'efforcent de les récolter alors qu'ils sont aussi frais que possible. Les salanganes ne se laissent pas décourager et elles reconstruisent presque immédiatement leurs nids, ce qui autorise trois récoltes durant la saison de reproduction avant que les oiseaux puissent enfin couver leurs œufs et élever leurs petits.

TERRASSEMENT

Les guêpiers se livrent à un pénible travail d'extraction de terre pour construire leurs nids.

Des tunnels tubulaires et horizontaux, comportant généralement un coude aigu avant de déboucher dans une chambre d'incubation plus vaste, sont creusés dans les berges d'argile ou de sable, légèrement en pente, à l'aide de leur bec et de leurs pattes. La longueur du couloir varie d'un à deux mètres; dans certains cas exceptionnels, elle peut atteindre trois mètres et demi. Les œufs, d'un blanc de neige, sont déposés sur le sol encore nu de la chambre d'incubation. Progressivement, le nid est aménagé avec un soin méticuleux à l'aide de matériaux consistant en particules d'insectes non comestibles, régurgités par les oiseaux.

LE SACRIFICE DU PLUMAGE AU BÉNÉFICE DU NID

Les canes arrachent les délicates plumes de leur abdomen pour en tapisser leurs nids, généralement sommairement construits à même le sol, et camouflent ainsi leurs œufs. Les eiders produisent un duvet particulièrement épais, très recherché pour les sacs de couchage, qui a donné son nom à l'édredon. La femelle est seule à couver; elle part en mer la nuit à la recherche de nourriture. Si elle quitte le nid sans pouvoir recouvrir ses œufs d'un amoncellement de duvet, ceux-ci se refroidissent rapidement sous le rude climat de la nuit septentrionale, et l'embryon est détruit.

LOGEMENTS EN LOCATION

Certains grands oiseaux utilisent le même nid d'une année à l'autre. Mais, plus fréquemment, ils s'installent dans de vieux nids abandonnés dont les dimensions et la situation leur conviennent; ils ne voient d'ailleurs aucun inconvénient à ce que ces structures aient été érigées par d'autres espèces. Ainsi, un nid de busard peut être occupé l'année suivante par un couple de corneilles et, lors du prochain été, un hibou moyen-duc pourra

y élever ses petits. Durant l'occupation du nid, celui-ci est généralement rénové, agrandi, ce qui, avec le temps, finit par lui donner l'apparence d'un énorme tas de branchages.

COUTURE

Le nid de la fauvette couturière, qui vit en Asie méridionale, présente l'une des structures les plus étonnantes. De la pointe de leur bec, ces artistes perforent les bords d'une ou plusieurs feuilles, puis ils partent à la recherche de laine, de fibres végétales ou même de fils de toile d'araignée qu'ils utilisent pour coudre ensemble les feuilles roulées en cônes. Après quoi un nid semi-sphérique, constitué de délicates fibres végétales et animales, est aménagé à l'intérieur de ce cône.

LOGEMENTS COLLECTIFS

Les nids des républicains comptent parmi les plus remarquables. Ces passereaux, instinctivement grégaires, de couleurs ternes, ressemblant à des moineaux mâles, vivent dans les savanes d'Afrique du Sud. Ces granivores édifient en commun un toit épais, solide, imperméable, à l'aide de brins d'herbe, autour d'une forte branche; il en résulte une sorte de paillote. Chaque couple installe alors sa propre chambre d'incubation sous ce toit. En règle générale, cette grappe de nids sera continuellement agrandie et utilisée pendant plusieurs années, jusqu'à ce que la branche ne la supporte plus et se rompe sous le poids. Le diamètre de cette toiture varie de deux à trois mètres, mais certaines peuvent atteindre cinq mètres et comporter plus de cent vingt nids individuels.

Des constructions de nids analogues se retrouvent chez une famille fort différente, les perroquets. Ainsi, en Amérique du Sud, les perruches-souris entassent des quantités considérables de broussailles au faîte des arbres et installent sous

cette protection des cellules individuelles. Ces nids sont également utilisés pendant plusieurs années, non seulement pour couver et élever les jeunes, mais aussi pour y dormir en dehors de la saison de reproduction – coutume exceptionnelle chez les oiseaux.

NID-PANTOUFLE ET NID À SERRURE DE SÛRETÉ

Nombre de variétés de mésanges, ces oiseaux charmants et vifs, ont magnifiquement réussi à tirer parti de l'apport humain au paysage. Les vraies mésanges sont troglodytes et aménagent leurs nids douillets dans les troncs d'arbre et les vieilles souches. La fauvette à tête noire affectionne aussi les cavités naturelles et, en dehors de la période de reproduction, elle y dort seule. Au printemps, le nid de la femelle est normalement choisi pour devenir chambre d'incubation. Les arbres creux et malades étant généralement abattus, ces cavités naturelles deviennent rares; ne disposant pas de suffisamment de nichoirs, les mésanges s'ingénient à trouver d'autres emplacements. Bien qu'elles soient capables de construire des nids entre les branches, elles ne s'y résolvent que rarement et préfèrent s'en remettre au hasard qui leur désigne des endroits, souvent peu orthodoxes. Ainsi, on a découvert des nids de mésange dans des boîtes à lettres, des lanternes, des arrosoirs, à l'abri de volets, dans des tuyaux d'évacuation, etc.

Cependant, plusieurs représentants de la famille des mésanges ne sont pas troglodytes; certains construisent même des nids très ingénieux. Le nid de la rémiz penduline est un véritable chef-d'œuvre. En général, il se balance à l'extrémité d'une branche flexible, de préférence d'un saule ou d'un peuplier. Le mâle commence à tresser une longue boucle à l'aide de fibres végétales, de vingt-cinq centimètres de hauteur et de dix centimètres de largeur, qui pend verticalement, puis il l'élargit et achève la partie inférieure de la boucle afin qu'elle constitue une structure en forme de bourse, l'ensemble évoquant un panier muni de son anse. Après quoi il remplit la partie postérieure et construit le devant et les côtés jusqu'à ce qu'il ne reste qu'une petite ouverture au sommet qu'il termine par un couloir de forme tubulaire, servant d'entrée. Dans les phases finales de ce travail, il est aidé par sa partenaire qu'il a courtisée entre-temps, notamment pour la tapisserie intérieure. Le nid se balance au vent, tel un pendule, d'où le nom scientifique de cet oiseau « remiz pendulinus ». L'ensemble est très résistant avec ses parois épaisses, entrelacées de débris de végétaux formant isolant. En Europe orientale, de tels nids sont fréquemment ramassés en automne pour être utilisés comme chaussons par les enfants.

Le nid de l'anthoscopus caroli est encore plus étonnant. Il comporte une fausse ouverture constituée par une cavité en forme de bourse, au-dessous de la véritable entrée; celle-ci est resserrée et fermée par les adultes lorsqu'ils s'absentent du nid. Sans aucun doute, cette ingéniosité induit en erreur les pilleurs de nids quand ceux-ci fouillent la fausse cavité et la trouvent vide.

EMBALLAGES PERDUS

Les petits oiseaux n'utilisent généralement leurs nids qu'une seule fois. Le renouvellement de ce travail peut paraître superflu, mais il est nécessaire, car, à la fin de la période de reproduction, le nid est souvent infesté de parasites qui risqueraient de compromettre sérieusement la prochaine couvée.

L'ŒUF SUR LA BRANCHE

Les sternes ne se préoccupent guère de la construction d'un nid; en règle générale, une légère cavité

dans un sol sablonneux, décorée à l'occasion de quelques petits coquillages, galets ou fragments végétaux, leur suffit. Certaines espèces plutôt rares construisent des plates-formes broussailleuses, légèrement concaves, sur des buissons ou des arbres rabougris. La gygis blanche dépose ses œufs sur une branche horizontale; l'étroitesse de ce curieux nid oblige l'oiseau à couver dans une position anormale, à demi accroupi.

«MINI»-NIDS ET «MAXI»-NIDS ENCOLLÉS

La plupart des martinets utilisent des matériaux traditionnels pour la construction de leurs nids, tels que fibres végétales et animales, plumes, mais ils les amalgament avec de la salive qui sèche rapidement et les rend extrêmement durs. La raison de cet encollage sera claire pour quiconque a observé un martinet aux prises avec une tige ou un fil souple. Dès que ses ongles s'y sont pris, il ne peut se libérer qu'avec difficulté, car ses pieds sont très courts et son bec peu approprié à lui venir en aide.

Les nids de la plupart des martinets ont approximativement la taille d'une paume humaine. Ils adhèrent aux parois intérieures des grottes, aux troncs creux, à des bâtiments très élevés, mais certaines espèces ne suivent pas cette tendance générale. Le martinet des arbres encolle des particules d'écorce et de petites plumes sur la face latérale d'une branche; il en résulte une bourse de dimensions aussi réduites que celles d'une cuillère à café; par rapport à la taille de cet oiseau, il s'agit sans doute là du plus petit de tous les nids. Cette variété de martinet ne pond qu'un seul œuf qu'il colle, pour plus de sûreté, au «mini»-nid. Vu d'en dessous, un tel nid ressemble à une petite excroissance de la branche.

Le nid du martinet des palmes est encore plus curieux. Il s'agit aussi d'une minuscule bourse aplatie qui est appliquée à l'extrémité d'une feuille de palmier et peut à peine contenir les deux œufs, collés dans une position verticale.

En comparaison, les nids des martinets de Cayenne apparaissent comme des structures monstrueuses. Ces oiseaux construisent des tubes irréguliers de cinquante à soixante centimètres de long; pendus à des projections rocheuses ou aux parties inférieures des branches, ils évoquent des manches. Ces tubes, ouverts en bas, comportent une petite plate-forme concave adhérant à la paroi vers le sommet et destinée à recevoir les œufs.

NIDS-DORTOIRS ET SIMILI-NIDS

Le mâle troglodyte mignon construit plusieurs nids sur son territoire, généralement des structures sphériques en mousse comportant une entrée latérale. Un seul troglodyte mignon disposera de quatre ou cinq nids qu'il utilisera alternativement pour y dormir tout au long de l'année. Lorsque l'un d'eux est endommagé ou commence à se détériorer, l'oiseau l'abandonne et se construit une nouvelle « chambre à coucher ». A l'époque de l'accouplement, le troglodyte fait les honneurs de l'un de ses nids à l'épouse qu'il a choisie et, si le mariage est consommé, celle-ci se met en devoir de le tapisser soigneusement. Certains troglodytes, souvent de jeunes sujets fort indépendants, se rassemblent pour passer la nuit, étroitement serrés les uns contre les autres. On a dénombré jusqu'à douze troglodytes dans un seul de ces nids-dortoirs.

Divers oiseaux, les plongeons par exemple, construisent des imitations de nids dans une intention qui demeure mystérieuse.

NIDS ET CASCADES

Le cincle plongeur ou merle d'eau est apparenté au troglodyte mignon. Ses coutumes sont absolument uniques parmi les oiseaux chanteurs. Il vit généralement à proximité des torrents et des

*Les oiseaux, qui doivent nourrir leurs rejetons
d'araignées, vermisseaux, larves,
bâtissent leurs nids
fort éloignés les uns des autres,
dans un territoire jalousement gardé.
Quand les jeunes consomment
des substances végétales,
des insectes ailés ou du poisson,
les espèces, presque toutes d'instinct grégaire,
nichent et couvent généralement en colonies ;
cela s'explique puisque leur alimentation
ne nécessite aucune compétition.
La photographie représente
une colonie de républicains granivores.*

chutes d'eau ; il se procure l'essentiel de sa nourriture en plongeant à la recherche de larves aquatiques et, ailes à demi déployées, marche littéralement au fond de l'eau. L'emplacement de son nid est tout aussi exceptionnel. Il le construit avec de la mousse humide et de l'herbe ; il l'accroche à une paroi rocheuse, derrière une cascade, de sorte qu'il doit traverser en volant la chute d'eau.

LES NIDS DE BOUE

Les berges boueuses, les îlots des lacs salés servent de lieux de reproduction aux flamants. Ces oiseaux, souvent rassemblés en colonies innombrables, construisent là des nids très particuliers. Ils entassent la boue directement au-dessous de leur corps à l'aide de leur bec crochu, la comprimant sans cesse de leurs pieds palmés. Des pierres, de petits coquillages qu'ils peuvent atteindre depuis l'endroit choisi sont utilisés pour ces constructions. Les cônes tronqués ainsi édifiés sèchent et durcissent au soleil. Leur hauteur atteint généralement de trente à cinquante centimètres ; ils comportent à leur partie supérieure une cavité peu profonde destinée à recevoir les œufs. Sous certaines conditions exceptionnelles, les flamants peuvent couver sur un terrain dur et rocailleux, mais, dans ce cas, ils ne prennent pas la peine de construire un nid.

LE NID-HAMAC

La femelle du loriot d'Europe construit son nid très haut dans les arbres. Elle utilise de la salive pour lier différentes fibres végétales à la fourche d'une branche, généralement le plus loin possible du tronc. A l'aide de tiges flexibles, elle tresse adroitement une sorte de panier qui reçoit le nid proprement dit et se balance entre les branches, comme un hamac.

NIDS GÉANTS

Les cigognes couvent généralement dans le même nid pendant plusieurs années consécutives. A chaque saison de reproduction, avant de déposer leurs œufs, elles transportent de nouvelles brindilles et broussailles sur l'amoncellement qui est alors garni de foin et, à l'occasion, d'un morceau de tissu dérobé. Au cours des années, cet amoncellement peut atteindre le poids respectable d'une tonne. Les aires de nombreux oiseaux de proie diurnes sont agrandies de la même façon et peuvent dépasser en importance le château des cigognes. En Floride, on a retrouvé un nid de pygargue à tête blanche mesurant près de trois mètres de largeur et plus de six mètres de hauteur ; son poids a été estimé à deux tonnes et demie.

NIDS DE BOIS AU PARADIS RETROUVÉ

Chacun sait que les pics nichent dans les troncs d'arbre. Il s'agit généralement de cavités en forme de poire dont l'entrée est au sommet. Il est particulièrement étonnant de constater que les excavations ne sont pas uniquement creusées dans des troncs pourris, mais souvent dans du bois sain et dur. Cette tâche pénible exige un bec extrêmement résistant, doté d'une enveloppe cornue et muni d'un tranchant vertical en forme de ciseau ; par ailleurs, elle nécessite une structure osseuse renforcée à la racine du bec, un cou puissant et des muscles crâniens suffisamment forts pour aider à la percussion et amortir le choc.

Pourtant, tous les pics ne nichent pas à l'intérieur des arbres. Le pic d'Arizona ne construit qu'une demi-cavité dans d'énormes cactées, de consistance molle, mais dont les épines offrent une protection supplémentaire. En Afrique, le pic de Vaillant préfère construire son nid à proximité immédiate des termitières, reconstituant ainsi le paradis perdu, puisque sa nourriture est essentiellement composée de termites.

LE NID FLOTTANT

Les grèbes utilisent toutes sortes de fragments végétaux pour construire de véritables radeaux. Parfois, ceux-ci flottent librement, mais en général ils sont amarrés à des roseaux ou autres plantes aquatiques. Ils constituent des amoncellements volumineux qui ne tardent pas à être envahis par l'eau et commencent à pourrir avant de couler progressivement. De ce fait, à la fin de la période de couvaison, seule une infime partie demeure hors de l'eau, et les petits viennent au monde dans un berceau pour le moins humide...

HABITATIONS LACUSTRES

Les nids de la plupart des rousserolles sont de petits chefs-d'œuvre. Bien tissés, en forme de bourse, ils sont amarrés à plusieurs roseaux ; généralement, on compte de deux à cinq brins. La surface crantée des tiges retient à une hauteur adéquate ces habitats sur pilotis.

PARADE NUPTIALE

Quand au printemps
le faisan vert
écarte l'herbe des prés
pour aller aimer sa faisane,
il la trahit en désignant
à l'homme
le repaire de la belle.

Un cormoran huppé mâle, porteur d'un «bouquet» pour son épouse. L'offrande de matériaux pour le nid est un geste très en honneur chez de nombreux prétendants à plumes. Le cœur de la femelle peut difficilement repousser cette invitation à construire le nid.

Quand approche la saison de l'accouplement, les habitudes des oiseaux, leur apparence extérieure et leur comportement changent. En automne, nombre d'entre eux se sont rassemblés en grandes colonies pour partir reconnaître les terrains offrant une nourriture favorable. Après avoir vécu en bonne intelligence, ils deviennent chaque jour de plus en plus querelleurs, s'attaquant les uns les autres. Progressivement, la colonie se disperse; les oiseaux partent chercher individuellement un endroit propice à l'accouplement, un lieu qu'ils défendront énergiquement contre tout intrus de leur propre espèce.

D'autres ne deviendront sociables qu'à l'époque de l'accouplement; ils s'aggluméreront alors en vastes colonies sur un territoire propre à leur fournir la nourriture. Là, des centaines et même des milliers d'oiseaux couveront en étroit voisinage.

Un grand nombre d'oiseaux mènent une existence rigoureusement monogame durant une saison ou toute la vie, tandis que d'autres préfèrent les diverses formes de polygamie.

Cependant, quel que soit le cas, certains préparatifs doivent obligatoirement intervenir, faute de

quoi l'accouplement serait impossible. Cette cour, cette stimulation sensorielle est connue sous le nom général de parade nuptiale. Lors de cette parade nuptiale, les oiseaux se parent d'une multitude de couleurs, de formes; puis ils

Méthodes utilisées par les oiseaux mâles pour séduire les femelles. A l'époque de l'accouplement, la frégate mâle gonfle son jabot, habituellement presque invisible, le transformant en une sorte de ballon d'un rouge éclatant.

esquissent des mouvements dont la variété n'a d'égale que celle des nids.

Nombre des maris en puissance revêtent un resplendissant plumage; ils s'habillent, en quelque sorte. Puis ils s'exhibent afin d'impressionner les femelles qui, quoique généralement ternes, se montrent fort difficiles dans leur choix. Après quoi, seuls, ou en compagnie d'autres soupirants, et tout en affectant un complet dédain pour le sexe opposé, ils se livrent à des danses extatiques qui sont exécutées soit directement devant l'élue, soit à une certaine distance.

D'autres espèces tentent de compenser le peu d'éclat de leur plumage par toutes sortes d'expédients. Ils se livrent à des acrobaties aériennes, descentes en vrille, tonneaux, etc. Ils esquissent des danses grotesques, frappent sur des objets creux pour en tirer des sons de tam-tam. Chez certains autres, le plus grand attrait se trouve dans leur gosier; ces derniers essaient de séduire l'objet de leur flamme et de l'attirer sur leur territoire avec des déclarations gazouillées, de tendres chuchotis, de gais trilles ou de suaves roulades.

Est-ce la notion
de l'approche du printemps
qui incite les oiseaux
à se parer
de resplendissantes couleurs,
à ciseler la forme
de leurs plumes en des tons
d'une séduction magique
alors que les frimas
de l'hiver
sont toujours là ?

Quand bien même
ce ne serait pas le cas,
si de nos jours instinct
et désir portent le nom
prosaïque d'hormones –
issues de l'hypophyse –
ne serait-ce pas déjà
miraculeux !

*Bien que le bruant lapon mâle ne se pare pas
d'un resplendissant plumage, éclatant de
couleurs, il n'en est pas moins élégant pour
ses noces.*

Parfois, les préparatifs nuptiaux commencent déjà en automne, mais généralement ils n'interviennent qu'au milieu de l'hiver. Les oiseaux «s'habillent pour le mariage».

Tous les oiseaux ne possèdent pas un plumage habituel et un autre d'apparat. Chez certaines espèces, les deux types de plumage ne diffèrent que fort peu. Les robes colorées se ternissent souvent après la période de reproduction et perdent de leur lustre, mais certains oiseaux sont littéralement méconnaissables lorsqu'ils ont endossé leurs atours de noces. Les tisserins, par exemple, dont le plumage habituel n'est guère plus attrayant que celui d'un moineau, se parent pour l'accouplement de splendeur écarlate. A

brun-gris clair, est identique à celle de sa compagne, se pare d'atours uniques pour la parade nuptiale. Il arbore une énorme collerette qu'il dresse comme un bouclier et dont les splendides teintes, très diversifiées selon les individus, vont du blanc au rouille, noisette ou noir, en passant par tous les tons intermédiaires.

Le plumage n'est pas le seul élément susceptible de transformation à la période des amours. Le bec ou les parties chauves de la tête peuvent aussi changer notablement. Des excroissances, rappelant des verrues, apparaissent à l'occasion, surtout sur la tête, où elles peuvent atteindre plusieurs fois leur grosseur initiale ou changer de couleur.

Le plumage remplit nombre de fonctions. Outre la protection contre le froid et la chaleur, il préserve la peau des blessures. Il confère à l'oiseau sa silhouette angulaire, aux merveilleuses formes aérodynamiques, lui permettant des performances de vol inégalées. Il peut camoufler l'oiseau de façon tout aussi étonnante qu'il le pare de splendeur. Diverses sortes de plumes sont utilisées par certains oiseaux en tant que générateurs de sons, organes tactiles ou matériaux de nidification. Les collerettes de plumes qui sou-

oiseaux sont démunis, à l'exception peut-être du milan royal.

Sans ses plumes, l'oiseau serait peu engageant, impuissant et voué à un triste sort.

Les plumes, qui ont subi une mutation à partir de l'écaille reptilienne, demeurent, même à leur stade actuel d'évolution, des structures cornées, démunies des nerfs sensitifs inhérant à la peau, qui s'enfoncent dans le derme de façon lâche. Quoique les plumes soient extrêmement variées de taille et de forme, nous en dénombrons quatre types principaux: les plumes de contour, qui revêtent la plus grande importance pour les oiseaux auxquels elles confèrent leur forme extérieure tout en les protégeant contre les intempéries et les blessures; les

Grèbe à cou noir. Chez les grèbes, mâles et femelles arborent de magnifiques atours de noces.

Chez le plongeon-imbrin se produit une transformation spectaculaire à l'époque des amours.

la saison des amours, la mouette rieuse se coiffe d'un capuchon de couleur noisette. Le mâle chevalier-combattant, dont la robe automnale plutôt terne, d'un

lignent en dessins circulaires la tête des chouettes jouent un rôle important de mégaphone, leur procurant ainsi une oreille externe ou pavillon, dont les autres

fortes et résistantes plumes de vol, rémiges pour les ailes et rectrices pour la queue; le duvet, qui remplit presque exclusivement le rôle d'isolant; enfin, les plumes

Le sombre «habit de deuil» de la guifette noire est, en réalité, son costume nuptial.

Le chevalier combattant se pare d'un plumage aux couleurs variées et d'une grande collerette érectile avant de livrer d'inoffensifs combats à ses congénères.

Plume tectrice postérieure du canard colvert mâle. Ses splendides atours de noces comprennent des rectrices médianes, longues et bouclées.

constituées de simples filaments qui entourent essentiellement le bec et les yeux de certaines espèces auxquelles elles servent peut-être d'organes tactiles.

En dépit de son extrême résistance, le plumage de l'oiseau est naturellement sujet à usure. Il doit donc être renouvelé. Contrairement au cheveu humain qui s'allonge sans cesse, la plume ne parvient qu'à une certaine taille et cesse de croître, même si elle est coupée ou cassée. Chaque oiseau change périodiquement de plumage; ce phénomène est connu sous le nom de mue, et celle-ci se produit de diverses façons. Chez la plupart des espèces, la mue dure de quatre à six semaines, mais elle peut s'étendre sur une année entière – dans le cas de l'aigle, par exemple.

Chez de très nombreuses espèces, le plumage joue un rôle important au moment de l'accouplement, notamment pour la parade nuptiale, même lorsque le mâle ne revêt pas d'atours resplendissants. Chacun, à sa façon, cherchera à faire valoir la beauté de son plumage dans ses efforts de séduction. Il ébouriffe ses plumes, déploie ses ailes ou les laisse pendre

en esquissant fréquemment des contorsions des plus curieuses. Le pigeon mâle se dresse de toute sa hauteur lorsqu'il décrit à petits pas des cercles autour de sa femelle. Vanneaux, huppes et nombre d'autres espèces dressent les plumes de leur tête. L'outarde mâle, de terne couleur, ramène les rectrices sur son dos, révélant ainsi les douces plumes blanches

qui sont normalement cachées par la queue. Le héron ébouriffe les délicates touffes ornementales de son dos. Le faisan doré arbore des collerettes de plumes incroyablement chatoyantes. Le faisan de chasse éblouit sa femelle par la splendeur colorée de ses ailes; il se place de profil devant elle et déploie jusqu'au sol l'aile qui lui

fait face. Les plumes noires et blanches jouent un rôle important dans la parade nuptiale, particulièrement expressive, de l'autruche mâle. Elles sont dressées, de façon aussi impressionnante que possible, quand, alternativement, il bat des ailes ou les laisse retomber en direction du sol avec des sortes de frissons. Au début du rituel d'amour, le manakin à tête rouge, petit oiseau d'Amérique du Sud, tourne le dos à la femelle, soulève sa queue et exhibe ses cuisses au duvet rouge vif.

Bergeronnette grise. Chez les petites espèces, les différences de plumage intervenant à la saison des amours sont généralement moins accusées que chez les plus grandes.

Plume de tête du grèbe huppé.
Mâle et femelle se parent d'une
grande et splendide collerette érectile de ton rouille avant le mariage.

Plume de tête du canard colvert
mâle. La tête et le cou de ce malard sont d'un vert métallique irisé
à l'époque des amours. En temps
normal, ils sont neutres, marqués
de taches marron comme chez la
femelle.

Plume de tête du pinson du Nord.
La tête et la partie antéro-pos-
térieure du mâle deviennent d'un
noir brillant à l'époque des amours.

Plume de tête de la mouette rieuse.
A l'époque des amours, le plumage
de la tête est de couleur chocolat
chez les deux sexes. Le reste du
temps, blanc, un point sombre dans
la région auriculaire.

Longueur 20 mm. *Longueur 7 mm.* *Longueur 15 mm.*

*La spatule blanche d'Europe – mâle et femelle –
se pare d'une magnifique touffe de plumes sur la
nuque et à la base du cou qui devient du plus beau
jaune, ce qui la rend particulièrement attrayante
pour les noces.*

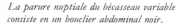

*La parure nuptiale du bécasseau variable
consiste en un bouclier abdominal noir.*

Caché
au cœur des hostiles
brouillards de la jungle,
il danse
pour sa bien-aimée :
la plus éblouissante
entre toutes.

L'«oiseau de paradis» doit son nom au Hollandais Jan van Linschoten qui l'attribua aux extraordinaires dépouilles de ces oiseaux que les marins du XVIe siècle rapportèrent de la Nouvelle-Guinée. Les indigènes séparaient alors le corps proprement dit de la peau, ce qui constituait une excellente méthode de conservation pour les magnifiques plumages encore inconnus en Europe. Devant ces dépouilles, les Occidentaux crurent obstinément, pendant trois siècles, que ces oiseaux n'avaient ni pattes ni entrailles et, en conséquence, qu'ils n'étaient pas sujets à la décomposition – comme les élus du paradis. On prétendait que ces animaux passaient toute leur existence en vol, qu'ils subsistaient exclusivement de la rosée du ciel, et qu'ils couvaient en l'air, la femelle assise sur le dos du mâle. Bien que ces oiseaux ne viennent pas du paradis, ils n'en méritent pas moins leur nom. Leur beauté est réellement un don du Ciel. Les splendides couleurs et la multiplicité des formes de plumage des paradisiers mâles côtoient le fantastique.

En règle générale, quand un oiseau mâle se pare d'un plumage particulièrement resplendissant, il néglige toute participation à la couvaison; il laisse ce soin à la femelle de couleurs plus ternes. Cette règle s'applique aux paradisiers. Tôt le matin et, souvent, au coucher du soleil, un nombre plus ou moins grand de ces merveilleux oiseaux se rassemblent pour parader en groupe à la cime des arbres ou, dans le cas de certaines variétés, sur le sol des clairières dans les forêts humides de la Nouvelle-Guinée. Les femelles se produisent aussi, mais elles se contentent simplement de faire tapisserie, d'un air prude et absent, comme si leur présence n'était que pure coïncidence. Les mâles ne paraissent d'ailleurs pas leur prêter la moindre attention, bien que cette débauche de couleurs, de formes et de mouvements soit dédiée aux belles. Le grand paradisier s'incline, soulève les ailes, semblant hausser les épaules, ébouriffant la profusion dense de ses longues et souples plumes dorsales d'un délicat jaune d'or, le corps vibrant, au paroxysme de l'extase. Le paradisier de Rodolphe s'installe sur une branche et lance ses cris de séduction, puis il se penche en avant jusqu'à ce qu'il se trouve suspendu à la branche, la tête en bas.

A ce moment, il déploie tout à coup ses ailes, découvrant ainsi une profusion fluide de plumes ornementales roses et bleues. Le paradisier superbe exhibe sa collerette dorsale noire et son plastron d'un bleu métallique qui le font paraître le double de sa taille. Le six-filets déploie son imposante fraise autour de son corps et ses longues et raides rectrices curieusement vrillées.

A ce jour, près de quarante espèces de paradisiers ont été dénombrées par les ornithologues. Le corps du plus petit d'entre eux est de la taille d'un moineau, le plus grand de celle d'une corneille; ils s'apparentent certainement aux corvidés, mais nos connaissances sur les paradiséidés sont très limitées. De nombreuses variétés n'ont pas encore fait l'objet d'études approfondies et nous ignorons certainement l'existence de certaines autres. Les forêts sauvages des régions montagneuses pratiquement inaccessibles de la Nouvelle-Guinée garderont encore longtemps leurs secrets.

LES PARADISIERS

La plupart des paradisiers vivent dans les forêts humides des montagnes, quasi inaccessibles, de la Nouvelle-Guinée. Sous de telles conditions, il est pratiquement impossible de photographier ces oiseaux dans leur milieu naturel et d'obtenir des clichés qui rendent justice à la délicatesse et à la splendeur colorée de leur plumage. C'est pourquoi les photographies des pages suivantes reproduisent des sujets naturalisés.

En bas: Le manucodie royal, à peine de la taille d'un étourneau-sansonnet, est le plus petit des paradisiers, mais sa beauté ne le cède en rien à celle de ses proches. Lorsqu'il désire séduire une femelle, très terne, il déploie latéralement les plumes irisées de sa collerette, bordée de vert émeraude, et dresse ses deux rectrices médianes, filiformes, qui se terminent par une sorte de médaillon en spirale.

Pages 58/59: Au cours de sa parade nuptiale, le paradisier de Rodolphe se suspend à une branche, la tête en bas, et déploie largement ses magnifiques plumes ornementales, en majeure partie bleues et violettes, mais parfois partiellement rosées. Il se balance au rythme de ses étranges cris rauques...

Page 60: Dotés d'un plumage moins éblouissant que leurs proches, les six-filets compensent cette lacune par l'extravagance de leur vêture et par des danses grotesques. Pour la parade nuptiale, ils déblaient tout d'abord le sommet d'un monticule, puis ils s'y pavanent, formant un cercle, plumes du cou déployées en ombrelle, sautillant d'avant en arrière. Ils ressemblent alors à des champignons noirs qui auraient une tête d'oiseau...

Les oiseaux jardiniers et leurs bosquets d'amour

Les plus proches parents des paradisiers sont tout aussi étonnants que ces derniers. La famille des oiseaux jardiniers a des mœurs absolument uniques dans la gent ailée. Ces oiseaux, moins fastueux que les paradisiers, ont une façon très particulière de se concilier les faveurs de leurs femelles plutôt ternes. Ils construisent des jardins, des bosquets d'amoureux et des tourelles ornementales. Certes, les architectes de grand talent ne manquent pas chez les oiseaux, mais ceux-ci limitent leurs activités à la construction de nids destinés à leur progéniture. Or, les structures dues au jardinier mâle ne sont pas érigées pour recevoir des œufs.

En règle générale, le nid est seulement construit par la femelle et il se situe toujours ailleurs, dans de grands arbres. Les jardins aménagés par ces oiseaux peuvent rivaliser avec l'élégance vestimentaire des paradisiers. Chaque mâle construit sa propre piste de danse pour la parade nuptiale et, dans ce dessein, il commence par déblayer une parcelle de terrain dans la forêt, d'un diamètre d'un mètre à un mètre et demi. Certaines variétés laissent cette aire nue, tandis que d'autres la dé-corent de fougères, de lichens colorés qui contrastent avec le voisinage. D'autres entourent toute la plate-forme d'un mur de mousse et de brindilles. L'emplacement est alors parsemé ou plutôt décoré de baies de teintes vives, de coquilles d'escargot, d'élytres irisés, de fleurs et d'autres ornements analogues. Ce décor suffit à certaines variétés, mais pour la plupart d'entre elles, ce n'est qu'un début. Ainsi, l'un de ces oiseaux empile des brindilles autour d'un arbuste situé au centre de la plate-forme; il les entrelace adroitement et constitue ainsi une sorte de tour qui sera drapée de mousse ou de lichen et décorée des mêmes objets colorés. Terminé, l'édifice mesure généralement entre un mètre et deux mètres vingt; exceptionnellement, il peut atteindre trois mètres.

Les constructions du ptilonorhynque sont encore plus étonnantes; il érige deux ou trois parois de rameaux entrelacés qui se rejoignent à la partie supérieure et forment une véritable tonnelle. Devant les entrées, le sol de ces charmilles est généralement orné à profusion. Il peut aussi construire de véritables huttes de cinquante centimètres de haut et d'un mètre de diamètre, soutenu par un petit tronc d'arbre central, décoré comme un mât de cocagne. Une entrée latérale permet d'accéder à l'intérieur. Il existe au moins deux espèces qui poussent le raffinement jusqu'à peindre les parois à l'aide d'une teinture fabriquée avec des baies écrasées et d'autres substances végétales, du charbon de bois et de la salive. La peinture est appliquée avec le bec ou à l'aide d'un petit morceau d'écorce tenu dans le bec comme un pinceau!

La tonnelle d'amour de ce jardinier peut atteindre un mètre de haut et un mètre et demi de large à sa base. Elle est construite autour d'un petit arbre qui sert de support central. L'oiseau, de la taille d'une corneille, trace des « parterres de fleurs » constitués de baies, de pétales colorés, de lichens et de nombreux autres éléments décoratifs dont il orne son jardin méticuleusement entretenu. Il examine constamment son domaine, enlevant tout ce qui commence à se faner ou à pourrir pour le remplacer par de nouveaux apports ornementaux.

Ces prodigieuses tonnelles d'amour sont utilisées par l'oiseau jardinier plusieurs mois durant, parfois même pendant plusieurs années. Il s'emploiera continuellement à réparer, à agrandir, à enlever les feuilles mortes et les baies pourries pour les remplacer par de nouvelles. Il séduit la femelle par un chant très simple qu'il entonne à l'intérieur du jardin ou sur une branche qui le surplombe. Quand la visiteuse convoitée entre, il pose devant sa construction ou à l'intérieur. S'il parvient à ses fins, le mariage est consommé dans ce palais des mille et une nuits, son jardin d'amour.

Les frégates aussi ont un curieux rituel pour la parade nuptiale. A l'approche de la saison d'accouplement, le jabot dénudé du mâle commence à gonfler; il enfle de plus en plus et, finalement, se transforme en un ballon d'un rouge éclatant, gros comme une tête d'enfant. Paré de cet étonnant appendice, il part à la recherche d'un emplacement pour le nid. Comme la plupart des oiseaux de mer, il ne s'oppose pas à un voisinage immédiat et s'intègre à une colonie formée pour cette occasion. Il s'installe de préférence au sommet d'un buisson, mais, en cas de nécessité, il peut se contenter du sol dénudé d'un îlot ou de la grève.

A l'approche d'une femelle, chaque mâle s'efforce de la conquérir. Tous rejettent la tête en arrière pour montrer leur jabot démesurément enflé. Ils font claquer leur bec, poussent des cris stridents, déploient les ailes, balancent le corps d'un côté et de l'autre, et se secouent avec une telle frénésie que le froissement de leurs plumes peut être entendu de très loin. Fréquemment, la femelle plane quelques minutes au-dessus d'un groupe de soupirants. Quand elle se pose enfin à proximité de l'élu,

les amants dédaignés reprennent leur patiente attente, jusqu'à l'apparition de la prochaine femelle. Après la réunion du couple, le séduisant ballon ne tarde pas à se dégonfler et la construction du nid commence sans autres préliminaires. Maintenant, c'est essentiellement à la femelle qu'incombe la garde de l'emplacement du nid choisi par le mâle; ce dernier part à la recherche de brindilles pour la construction d'une plate-forme rudimentaire. Il ne se pose jamais pour rompre un rameau sur les buissons ou le ramasser au sol. Au cours de cette occupation, il peut advenir que d'autres mâles s'efforcent de lui dérober ses brindilles en plein vol; fréquemment, ils se poursuivent l'un l'autre, ce qui implique un certain délai avant que tous les couples de la colonie en aient terminé et que le nid soit prêt à recevoir l'unique œuf.

Le jabot gonflé pour séduire la femelle, la frégate mâle part à la recherche d'un emplacement pour le nid. Ce ballon entrave singulièrement son vol, l'un des plus remarquables parmi les oiseaux planeurs.

LE LANGAGE DES GESTES

De nombreuses familles d'oiseaux de mer couvent en colonies. Les îlots et côtes sauvages leur offrent peu d'espace par rapport à la réserve alimentaire que leur procure la mer. Ces oiseaux, ne recherchant pas leur nourriture à proximité immédiate du nid, effectuent de très longs vols pour satisfaire ce besoin; de ce fait, ils ne voient aucun inconvénient à couver côte à côte. Par ailleurs, la communauté leur procure une protection contre les pilleurs de

chez les goélands particulièrement bavards, qui constituent certainement un moyen de communication, il semble que le langage des gestes soit beaucoup plus expressif et varié. Quand un oiseau veut affirmer ses droits sur un territoire à l'approche d'un nouvel arrivant, souvent il se dresse de toute sa hauteur et déploie ses ailes; il peut aussi ouvrir le bec de façon agressive et accompagner de cris stridents ses gestes sur lesquels on ne peut se méprendre.

nids puisqu'un certain nombre d'adultes demeurent sur le territoire de nidification, toujours prêts à se liguer contre un intrus. Mais la vie en communauté exige la communication. Bien qu'on relève de fréquentes et bruyantes expressions sonores, notamment

A ce stade, le propriétaire initial est presque toujours reconnu et apaisé par l'adversaire qui tournera la tête ou fera demi-tour dans une attitude soumise, le bec enfoui dans le jabot, ou fermé et tenu verticalement, démonstration par laquelle il exprime son intention de ne pas attaquer. Il s'agit là des signes les plus évidents, qui sont complétés par des gestes nombreux et nuancés exprimant affection, aversion, bonne volonté, humilité, intention de départ, consentement à l'accouplement, etc. L'offrande d'une brindille tenue dans le bec du partenaire indique clairement l'intention de commencer la construction du nid.

A gauche: L'alimentation joue un rôle important lors de l'accouplement des sternes. Le mâle se pose, un petit poisson dans son bec, cherchant par ce moyen à se concilier les faveurs de la belle, ainsi qu'on peut le voir sur l'illustration en bas, à gauche. Apparemment, il veut aussi prouver qu'il est un pêcheur accompli, capable de nourrir sa famille. S'il plaît à la femelle, celle-ci acceptera son présent. Parfois, le mâle semble regretter sa générosité et, à la dernière minute, il avalera lui-même le poisson. Par ailleurs, la femelle peut indiquer son désir d'accouplement par des gestes de supplication, même si le mâle n'a pas apporté de nourriture, comme c'est le cas chez le sterne arctique, représenté à droite.

Le geste menaçant de la mouette tridactyle, en haut et à droite, renforcé par des cris stridents, trouve une réponse dans l'attitude d'humilité de son vis-à-vis: celui-ci dépose les armes en pressant son bec contre sa poitrine.

Quand un fulmar se pose auprès de sa compagne, il la salue par des cris stridents, le cou tendu. Les gestes de ces oiseaux semblent moins expressifs que ceux des goélands, mais il faut tenir compte de la faiblesse de leurs pattes, incapables de les soutenir sur la terre ferme.

A gauche: En dépit du langage expressif de ses gestes, le fou masqué, comme les autres espèces de sulidés, se livre fréquemment à des duels à coups de bec qui peuvent parfois dégénérer en sanglantes batailles.

Pages suivantes: Les ailes tombantes du sterne arctique signifient: voudriez-vous m'épouser? Accompagnant ce geste, il existe aussi un certain nombre d'autres mouvements indiquant le désir de la femelle de s'accoupler.

Chant, merveilleuses couleurs, contorsions ne suffisent pas à amener l'exaltation voulue. Certaines espèces – principalement

2

celles vivant au sol – exécutent des pas de danse pendant le rituel d'amour. Cette chorégraphie, parfois improvisée et enthousiaste, peut aussi suivre des figures imposées très précises. Le plus fréquemment, c'est le mâle qui tentera de séduire l'objet de sa flamme en «dansant», seul ou accompagné de plusieurs membres de son sexe qui se mesurent alors dans un «tournoi de danse», d'un caractère martial, au cours duquel les exécutants ne prêteront pas la moindre attention aux femelles qui se tiennent à l'écart – bien que l'exhibition s'adresse exclusivement à elles. Chez d'autres espèces, les femelles participent activement à la danse; souvent, les partenaires accordent même leurs pas et mouvements, et atteignent ainsi une parfaite harmonie, propre à amener l'extase.

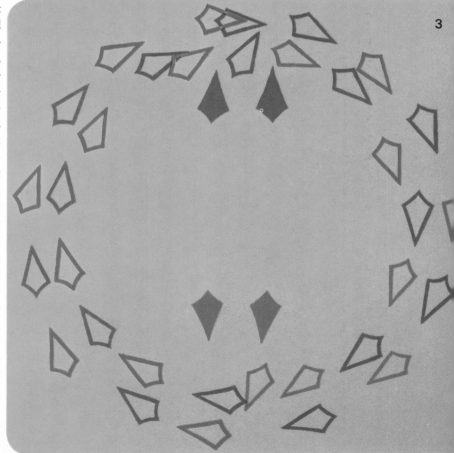

3

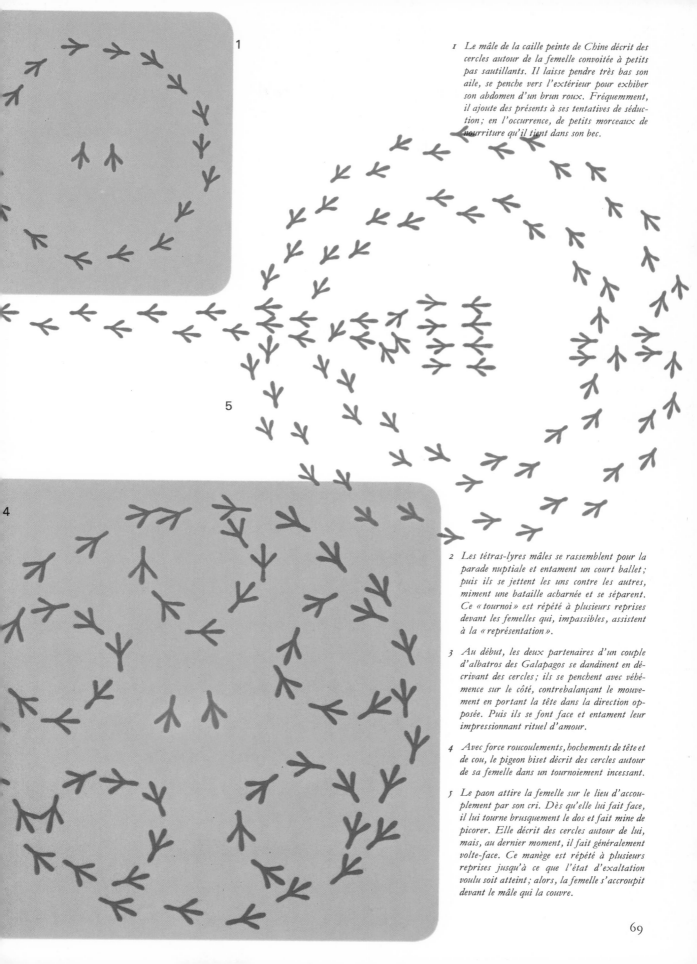

1 *Le mâle de la caille peinte de Chine décrit des cercles autour de la femelle convoitée à petits pas sautillants. Il laisse pendre très bas son aile, se penche vers l'extérieur pour exhiber son abdomen d'un brun roux. Fréquemment, il ajoute des présents à ses tentatives de séduction; en l'occurrence, de petits morceaux de nourriture qu'il tient dans son bec.*

2 *Les tétras-lyres mâles se rassemblent pour la parade nuptiale et entament un court ballet; puis ils se jettent les uns contre les autres, miment une bataille acharnée et se séparent. Ce «tournoi» est répété à plusieurs reprises devant les femelles qui, impassibles, assistent à la «représentation».*

3 *Au début, les deux partenaires d'un couple d'albatros des Galapagos se dandinent en décrivant des cercles; ils se penchent avec véhémence sur le côté, contrebalançant le mouvement en portant la tête dans la direction opposée. Puis ils se font face et entament leur impressionnant rituel d'amour.*

4 *Avec force roucoulements, hochements de tête et de cou, le pigeon biset décrit des cercles autour de sa femelle dans un tournoiement incessant.*

5 *Le paon attire la femelle sur le lieu d'accouplement par son cri. Dès qu'elle lui fait face, il lui tourne brusquement le dos et fait mine de picorer. Elle décrit des cercles autour de lui, mais, au dernier moment, il fait généralement volte-face. Ce manège est répété à plusieurs reprises jusqu'à ce que l'état d'exaltation voulu soit atteint; alors, la femelle s'accroupit devant le mâle qui la couvre.*

69

LA CÉRÉMONIE NUPTIALE DE L'ALBATROS

En prélude à leur cérémonie d'accouplement, chacun des deux albatros des Galapagos décrit des cercles autour de son partenaire, en se dandinant à petits pas. A chaque progression, il se penche fortement sur le côté, contrebalançant le mouvement en déportant la tête du côté opposé.

Après cette danse préalable, les deux partenaires se tiennent face à face et, le cou tendu, entament un simulacre de duel à coups de bec, dont les pointes se heurtent mutuellement à petits coups, produisant un bruit rappelant un roulement de tambour.

Après le roulement de tambour, ils se mordillent mutuellement l'extrémité du bec. Soudain, l'un d'eux rejette la tête en arrière et ouvre largement le bec, tandis que l'autre ne s'interrompt pas, mais généralement...

... lui aussi redresse immédiatement la tête et ouvre le bec. Tous deux gardent alors cette position pendant un instant, puis ils referment simultanément le bec avec un claquement.

Le rituel nuptial de l'albatros est particulièrement remarquable; peut-être est-il dû au fait que cet oiseau ne possède pas un plumage d'une fascinante richesse. La séduction qu'il exerce provient essentiellement de ses danses grotesques, de ses mouvements curieux, souvent exécutés en un accord rythmé et harmonieux.

Les albatros se reproduisent dans l'hémisphère austral, principalement sur le cercle antarctique et

que l'oisillon puisse voler de ses propres ailes est due à la taille de ces oiseaux, proche de celle d'une dinde. Le membre le plus imposant de cette famille, l'albatros hurleur dont l'envergure dépasse trois mètres, possède les ailes les plus longues qui soient.

les régions avoisinantes, à l'exception d'une espèce, celle des Galapagos. Son cérémonial d'accouplement ne peut être observé que sur un petit îlot de cet archipel. Après avoir couvé pendant deux mois leur unique œuf et passé sept mois à élever leur rejeton, les deux partenaires rompent leur union et entreprennent de grands vols migrateurs au-dessus des océans, ne revenant qu'une année sur deux à la recherche de nouveaux conjoints qu'ils attirent par de curieuses contorsions. La longue période nécessaire pour

Ce jeu est répété à intervalles réguliers avec d'autres gestes rituels: doux petits coups de bec, têtes baissées, lissage symbolique des plumes de l'épaule... enfin, tous deux pointent le bec vers le sol, comme pour se désigner mutuellement l'emplacement du nid.

Finalement, les deux partenaires s'installent sur le sol et échangent des caresses. De petites incursions sous les plumes du cou semblent les plus appréciées.

ETRANGES COUTUMES NUPTIALES

Le tisserin mâle a ingénieusement tissé la structure de base de son nid à l'abri des papyrus. A l'approche d'une femelle, il s'y suspend, la tête en bas, dans la position représentée par l'illustration; il émet des cris perçants, bat fiévreusement des ailes. Attirée par son manège, la femelle encore libre vient inspecter le nid; elle s'y glisse, et, dans la plupart des cas, les noces sont immédiatement célébrées.

Huppe dressée, ailes déployées, le mâle du grèbe huppé invite à la danse par une courbette.

Les deux partenaires se rapprochent l'un de l'autre, dans l'« attitude du chat », avec des cris augmentant progressivement de volume.

Puis, s'élevant soudain au-dessus de l'eau, dressés à la verticale, ils adoptent la « pose du manchot ».

Le ballet aquatique au cours duquel les grèbes huppés s'appareillent au début de l'année est un spectacle magnifique. Les teintes du plumage, qui vont du gris au brun roux, sont particulièrement vives à cette époque... et la huppe atteint son complet épanouissement. Les deux sexes, de même couleur, effectuent une pariade identique; il est donc impossible de distinguer le mâle de la femelle; évidemment, l'instant de la copulation pourrait nous éclairer, mais celle-ci intervient dans l'intimité du nid, loin des regards qui peuvent surprendre les merveilleux préludes amoureux qui se déroulent sur l'eau. Longtemps, on a supposé que la copulation se produisait à l'apogée de la parade nuptiale, durant la

Les danses des grues comptent parmi les plus beaux spectacles que les oiseaux puissent nous offrir. Elles peuvent être observées tout au long de l'année; les plus grands des jeunes y participent, bien qu'ils soient loin d'avoir atteint la maturité sexuelle. Cela n'a pas manqué de conduire à une conclusion erronée voulant que ces danses soient une expression de la joie de vivre de ces oiseaux; en vérité, elles ont pour unique objet la reproduction et le maintien des liens unissant le couple. Les danses qu'exécutent les jeunes ne sont probablement que des exercices destinés à les préparer à un comportement d'adulte. Longtemps avant d'être en mesure de procréer, les jeunes de nombreuses espèces se livrent à des mouvements pro-

Cette « pose du manchot », poitrine contre poitrine, est le point culminant de la parade nuptiale au cours de laquelle chacun des oiseaux offre à l'autre des matériaux de nid.

La cour se termine brutalement; le bruit cesse, les « fiancés » se remettent à nager, et, d'une secousse, détournent la tête dans la direction opposée.

« pose du manchot », poitrine contre poitrine, mais cette présomption était fausse. L'offrande de matériaux de nid paraît revêtir une grande importance chez les grèbes huppés. Après chaque séquence de leurs jeux répétés à d'innombrables reprises, le couple plonge et refait surface, un débris végétal dans le bec.

près à la reproduction, mais qui ne sont pratiqués que par jeu. Ainsi, à peine âgés de deux mois, les hérons garde-bœufs miment la parade nuptiale et s'efforcent de construire un nid. Les appels des grues, ces « cris de triomphe » qu'émettent alternativement les deux partenaires d'un couple, sont aussi poussés par les oiseaux adolescents.

LES GRUES

Les grues s'inclinent constamment l'une vers l'autre au cours de leur très belle danse.

Elles se pourchassent par intermittence, le cou tendu.

Ailes à demi déployées, elles ressemblent à des oiseaux inaptes au vol s'efforçant de prendre l'air.

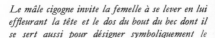

Le mâle cigogne invite la femelle à se lever en lui effleurant la tête et le dos du bout du bec dont il se sert aussi pour désigner symboliquement le

Les coutumes nuptiales des cigognes blanches sont extrêmement compliquées. Ces oiseaux abandonnent leurs quartiers d'hiver d'Afrique dès janvier et commencent leur migration vers l'Europe. Pourtant, il leur faut près de deux mois pour arriver sur les lieux de reproduction, car leur technique de vol ne leur permet que de progresser lentement. Alors que d'autres oiseaux migrateurs battent infatigablement des ailes, les cigognes décrivent des cercles pour prendre de l'altitude, puis elles planent un certain temps dans la direction désirée, attendant un courant ascendant qui les portera, ailes largement déployées.

Quand ces sociables voyageuses approchent de leur zone de reproduction, le groupe se scinde peu à peu, chacune d'elles se dirigeant individuellement vers son aire. Les mâles, plus impatients, arrivent généralement au nid qu'ils occupent avant les femelles. La « maîtresse de maison » survient à quelques jours de là, et la vie conjugale, interrompue à la fin de l'été, peut être reprise.

Ces retrouvailles soulèvent souvent maintes difficultés ; celles-ci sont essentiellement dues aux jeunes cigognes, encore célibataires, qui souhaiteraient vivement s'approprier l'aire et fonder un foyer. Si l'intrus est un mâle, le propriétaire en titre le repousse énergiquement, et la question est généralement résolue sans délai. Mais si une jeune femelle se présente, le maître de maison n'a évidemment aucune objection à formuler ; il se montrera même très accueillant et empressé auprès de la nouvelle venue – à condition que son épouse de l'année précédente ne soit pas encore arrivée ! Dans le cas contraire, il n'aura pas l'occasion de faire preuve de son hospitalité. Ecumante de rage, l'épouse indignée se rue sur la « gourgandine », et elle n'hésite pas à faire usage de son bec, dangereusement acéré. L'obstination de la jeunesse pousse souvent l'intruse à revenir sur l'aire, et il peut s'ensuivre de violentes, sanglantes et parfois mortelles batailles.

Si le couple n'est pas dérangé, il commence à préparer le nid. Tapotant ici, comblant là, il vérifie l'aire et part à la recherche de nouveaux matériaux, essentiellement utilisés pour le revêtement intérieur. Ce travail en commun soude le couple et sert certainement de prélude à la parade nuptiale.

L'activité de construction en soi côtoie d'ailleurs constamment le rituel : les matériaux sont déplacés sans raison, les branchages se voient écartés, ramenés avec les mouvements caractéristiques qui stimulent chez ces oiseaux le besoin d'accouplement. Les illustrations de ces pages montrent combien le prélude au mariage peut être compliqué. Bien entendu, de nombreuses variantes interviennent parfois et modifient l'apparence de ces joutes amoureuses.

Les grands oiseaux semblent éprouver plus de difficultés à copuler que leurs congénères de taille réduite. Les préludes nuptiaux sont compliqués et souvent très longs. En règle générale, la première copulation n'intervient qu'au bout d'un certain temps et, par la suite, les intervalles entre chaque accouplement sont plus longs, bien que ceux-ci soient souvent répétés. Le comportement amoureux de la cigogne n'est donc pas exceptionnel ; des rituels tout aussi remarquables peuvent être observés chez de nombreuses autres espèces.

L'autruche, par exemple, fait sa cour en deux temps. Une phase préliminaire a lieu en début de saison afin d'isoler le futur groupe familial du troupeau. A cette fin, le gigantesque mâle s'éloigne de la communauté, avec force battements d'ailes afin de séduire les femelles de son choix. Si le succès ne couronne pas ses efforts, il contraint les élues à quitter le troupeau, puis, à la tête du petit

LE FAISAN DE CHASSE

Le faisan de chasse fait sa cour en se tenant parallèlement à la femelle. Il déploie l'aile jusqu'au sol afin que sa partenaire succombe à la séduction de ses splendides couleurs irisées.

creux du nid; après quoi il décrit avec dignité des cercles autour de sa bien-aimée. Quand la femelle s'est levée, tous deux se contournent l'un l'autre, pointant le bec vers le centre de l'aire, se grattant mutuellement le cou et l'épaule; enfin, ils copulent, ailes déployées. Puis, chacun d'eux commence à se lisser longuement les plumes, ce qui pourrait être interprété comme un geste de gêne...

harem ainsi conquis, il gagne son territoire de reproduction. Là intervient la parade nuptiale qui sera répétée à plusieurs reprises avec chacune des femelles. Dès que le mâle est d'humeur à s'accoupler, il entraîne l'une d'elles à l'écart et tous deux se mettent à picorer. Progressivement, le rythme de leurs mouvements s'accorde et, aussitôt, l'action devient symbolique; à partir de ce moment, ils ne feront que mimer l'absorption de nourriture. Ces mouvements synchronisés accroissent manifestement l'excitation sexuelle. Soudain, le mâle exécute des battements d'ailes alternés, piétine l'emplacement du nid. Il se laisse tomber à terre, rejette du sable comme s'il voulait creuser une fosse, tord le cou tout en émettant des cris sourds. Puis il se redresse d'un bond et, au même instant, la femelle s'accroupit pour permettre à son seigneur et maître, au comble de l'excitation, de la couvrir.

La parade nuptiale ne se borne pas aux manifestations vocales, aux danses expressives, à l'orgueilleux étalage de magnifiques plumages; elle prend aussi souvent pour cadre l'espace aérien. Ainsi, les rapaces diurnes accompagnent leurs déclarations d'amour d'une éblouissante démonstration aérienne. Le fait que chez eux les couples demeurent unis pendant de nombreuses années ne les empêche pas de faire preuve de la même ardeur à chaque nouvelle saison de reproduction. Ils exécutent alors des exercices de haute voltige avec loopings, retournements, vrilles; ils se pourchassent follement, effectuant de concert des piqués, tout comme les couples de jeunes amoureux. Certains d'entre eux, généralement taciturnes, ne se montrent pas avares d'effets vocaux au printemps. Les buses s'appellent mutuellement à longueur de journée; d'autres émettent des sortes de gémissements, d'aboiements; d'autres

encore ne parviennent qu'à exhaler des pépiements, ce qui semble saugrenu chez de tels oiseaux. Certains observent le silence pendant leurs épousailles.

La parade nuptiale aérienne n'est pas exclusivement réservée aux grands rapaces. Un grand nombre d'oiseaux, qui généralement se cantonnent au sol, se révèlent d'étonnants acrobates aériens à la saison des amours. Certains gallinacés, tels que le lagopède muet, intercalent des numéros de brefs vols à la verticale dans leur rituel d'amour. Nombre d'échassiers qui, en temps normal, ne quittent pas le sol, se livrent à de folles exhibitions aériennes. Les bécasses exécutent de

LE COURLIS CENDRÉ

Le courlis cendré séduit l'élue en déployant ses ailes. Puis il lui désigne symboliquement l'emplacement du nid en pointant le bec vers le sol. Après quoi il presse sa poitrine contre le sable, décrit un cercle dans cette position, creusant ainsi une dépression dans le sol. De cette façon, il montre son intention de s'engager, et pour fort longtemps, avant que le mariage puisse enfin être consommé.

75

frénétiques vols en zigzag, notamment au crépuscule. Après une ascension en chandelle, les courlis se laissent retomber lentement en planant. Leurs ailes déployées, pointant vers le ciel, sont parcourues de frémissements quand ils retrouvent la femelle de leur choix. Les vols nuptiaux des vanneaux huppés d'Europe, avec leurs renversements, chutes volontaires, tonneaux, vrilles, piqués donnent à penser que leur couple exprime une intense joie de vivre.

De la taille d'un pigeon, le héron-crabier sait faire étalage du magnifique plumage ornemental de sa tête et de son cou quand il désire fonder une famille et séduire une femelle dans ce dessein.

LE HÉRON CENDRÉ

Quand le héron cendré revient sur son territoire de reproduction au début de la saison des amours, il occupe immédiatement l'une des anciennes aires, généralement groupées à la cime des grands arbres ou dans les roseaux. Les premiers arrivés choisissent les nids les plus vastes; les retardataires doivent se contenter de ceux qui restent ou en construire d'autres. Quand une femelle est en vue, chaque propriétaire d'aire fait immédiatement appel à toute sa science pour séduire la belle. Dressé à la verticale, il étire le cou en arrière, pointant le bec vers le ciel. Si une femelle se pose sur l'emplacement du nid, il s'affaire, sans pour autant œuvrer de manière constructive, semblant vouloir lui faire comprendre qu'il a l'intention d'être bon père. Ses gestes ne tardent pas à convaincre la femelle qui, dès lors, prend part à la construction symbolique du nid.

LE VANNEAU HUPPÉ

Les vols d'occupation du territoire et de la parade nuptiale du vanneau huppé mâle défient les acrobaties les plus audacieuses. Après une ascension en chandelle, il amorce une suite de tonneaux, vrilles, en feuille morte...

LES COLIBRIS

Si une femelle colibri est éblouie par une suite d'acrobaties aériennes exécutées par le mâle, elle se joindra à lui pour l'accompagner dans son vol, partageant ses loopings, renversements et autres exploits. A plusieurs reprises, tous deux s'arrêteront parfois brutalement et, très proches, face à face, planeront quelques instants.

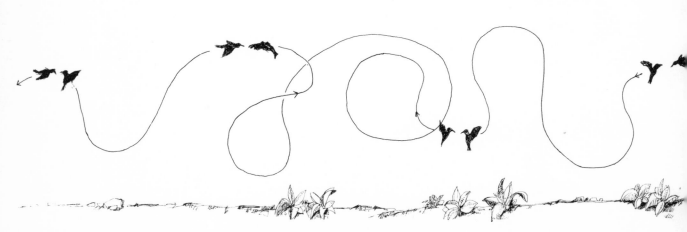

Tout au long de l'année, le tyran écarlate, habitant des forêts de l'Amérique du Sud, défend son territoire et celui de son épouse par la seule vertu de son chant. La plupart des oiseaux chanteurs revendiquent leur propriété de la même manière, mais en général uniquement à la saison de reproduction. Le tyran écarlate représenté ici est encore jeune ; son plumage n'a pas atteint la plénitude de sa couleur. Plus tard, son poitrail, son abdomen et sa calotte crânienne seront d'un rouge éclatant.

Aussi beau que soit son plumage,
aussi majestueux que soit son vol,
c'est par le chant
que l'oiseau
réjouit
le cœur de l'homme.

Pour plus de la moitié des espèces d'oiseaux, le chant joue un rôle prépondérant lors de l'accouplement.

Pour une multitude d'oiseaux chanteurs, il est d'une importance vitale d'occuper le lieu de reproduction. Il faut à chaque couple un territoire personnel, nanti d'une réserve appropriée pour l'alimentation des petits : insectes, larves, vers, araignées, etc. ; territoire qui sera protégé afin que la nourriture ne vienne pas à manquer. Sa superficie varie de façon considérable, non seulement en fonction des espèces, mais aussi du voisinage et des particularités de l'année, puisqu'il doit être adapté aux réserves alimentaires et à la nature des lieux.

Quand l'oiseau chanteur mâle a trouvé le territoire qui lui convient, il en revendique immédiatement la propriété au moyen d'une forte expression vocale, exécutée dans diverses positions de chant. Initialement, ce chant, qu'il lance infatigablement du lever au coucher du soleil, n'est qu'une barrière sonore destinée à tenir à distance tous les mâles de son espèce, mais bientôt il se doublera d'un appel à la femelle qui

devra mettre celle-ci dans l'état d'exaltation propice à l'accouplement.

Le chant – sa mélodie, son rythme, son volume et son registre – varie suivant les espèces et s'adresse aux mâles, qu'il doit garder à distance, et à la femelle qu'il est censé séduire parmi toutes ses congénères. Plusieurs espèces différentes peuvent se reproduire dans une même zone sans difficulté et sans conflit sur le chapitre de la nourriture. Certains la chercheront sur la cime des arbres, d'autres sur les feuilles de buissons, dans l'herbe, dans les fourrés ou saisiront leurs proies en vol.

Ce chant constant est d'une telle efficacité qu'un autre mâle, à la recherche d'un territoire, tentera rarement de conquérir celui qui est déjà occupé. Lorsqu'un mâle est placé dans une cage laissée dans son territoire, il continuera à défendre celui-ci par le seul moyen de sa voix ; en revanche, si la cage est placée dans le territoire d'un autre mâle, l'occupant apeuré se tapit dans un coin et cesse de chanter. Au cours d'une expérience de cet ordre, un oiseau est mort d'une crise cardiaque quand le propriétaire en titre du

territoire s'est jeté sur la cage ! Quand les territoires sont occupés, la véhémence du chant évite presque tous les affrontements, mais d'autres espèces, moins douées vocalement, ne manquent pas de ressources. Celles-ci tiennent en respect leurs congénères au moyen de danses rituelles et guerrières exécutées aux limites de leurs territoires. Si, occasionnellement, la violence intervient, la paix est rapidement rétablie. Après un court et énergique affrontement, l'intrus ne tarde pas à clairement faire comprendre qu'il se considère comme vaincu et abandonne la lutte. Cette attitude s'accompagne soit de gestes d'apaisement et d'humilité caractéristiques aux espèces, soit d'un rapide demi-tour. Pourtant, en l'occurrence, il ne s'agit que rarement d'un signe de véritable infériorité, puisque les rôles seraient immédiatement inversés si le vainqueur du moment s'aventurait sur le territoire de son adversaire au cours des assauts. Presque invariablement, un oiseau se sent moins en sûreté lorsqu'il s'aventure sur un autre territoire que le sien, et il accepte aisément sa défaite.

Pages 80/81

La spectrographie comparative des appels et des chants révèle la grande simplicité structurale du cri du merle, du grimpereau des jardins et du grimpereau familier. Une seule espèce peut compter plus de vingt appels distincts dont chacun a un sens différent. Chez certaines espèces, la communication s'établit déjà à l'intérieur de l'œuf; ainsi, les jeunes colins de Virginie ont recours à une sorte de cliquetis pour «orchestrer» leur éclosion simultanée. Encore dans la coquille, les petits guillemots apprennent à reconnaître la voix de leurs parents.

Les cris d'avertissement des oiseaux chanteurs, face à des ennemis tels que hiboux, rapaces diurnes et autres prédateurs revêtent une grande importance. Lorsque des oiseaux chanteurs découvrent une chouette endormie, leurs cris d'alarme déclenchent un tapage infernal. Les pépiements des petits quémandant leur nourriture incitent les parents à leur en apporter. Les oiseaux en migration nocturne gardent entre eux le contact au moyen d'appels qui retentissent dans la nuit.

D'autres cris de ralliement servent à resserrer les liens du couple ou de la colonie.

Nombre d'autres cris facilitent certaines formes de vie communautaire et sont fréquemment à l'origine de celle-ci.

MERLE NOIR

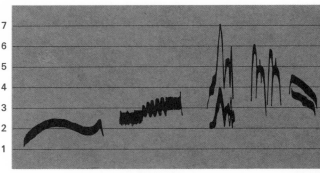

Cette double page présente des spectrogrammes d'appels et de chants de cinq oiseaux différents. Ces expressions vocales varient suivant les familles, et l'on remarque une différence considérable entre des espèces aussi voisines que le grimpereau familier et le grimpereau des jardins. L'échelle numérique en tête des tables indique l'intensité du son en kilocycles (1 kc = 1000 cycles par seconde).

GRIMPEREAU DES JARDINS

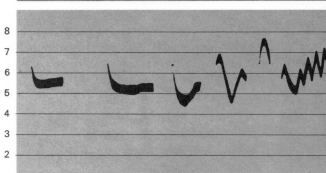

GRIMPEREAU FAMILIER

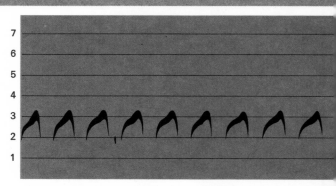

SITELLE TORCHEPOT

I La première section représente le chant principal du mâle, quand il occupe son territoire à la saison des amours. Ce chant peut varier considérablement dans le giron d'une même espèce. Les pics ont recours à des signaux martelés qui remplacent le chant.

II Les cris d'avertissement évoqués ici sont utilisés par les oiseaux pour prévenir leur entourage d'une menace. D'autres espèces – et même certains mammifères – comprennent souvent ce message et tiennent compte de l'alerte.

PIC ÉPEICHE

III Ces appels proviennent de jeunes quémandant de la nourriture auprès de leurs parents. Les cris des oisillons sont généralement d'un volume très réduit, surtout les premiers jours ; ainsi, le nid n'est pas aisément repéré.

IV Les cris de ralliement permettent aux couples de demeurer en contact lorsqu'ils se sont perdus de vue dans la végétation dense. Des cris analogues contribuent à souder des colonies.

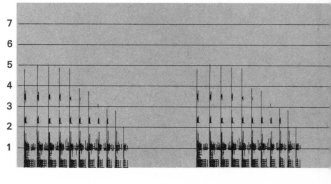

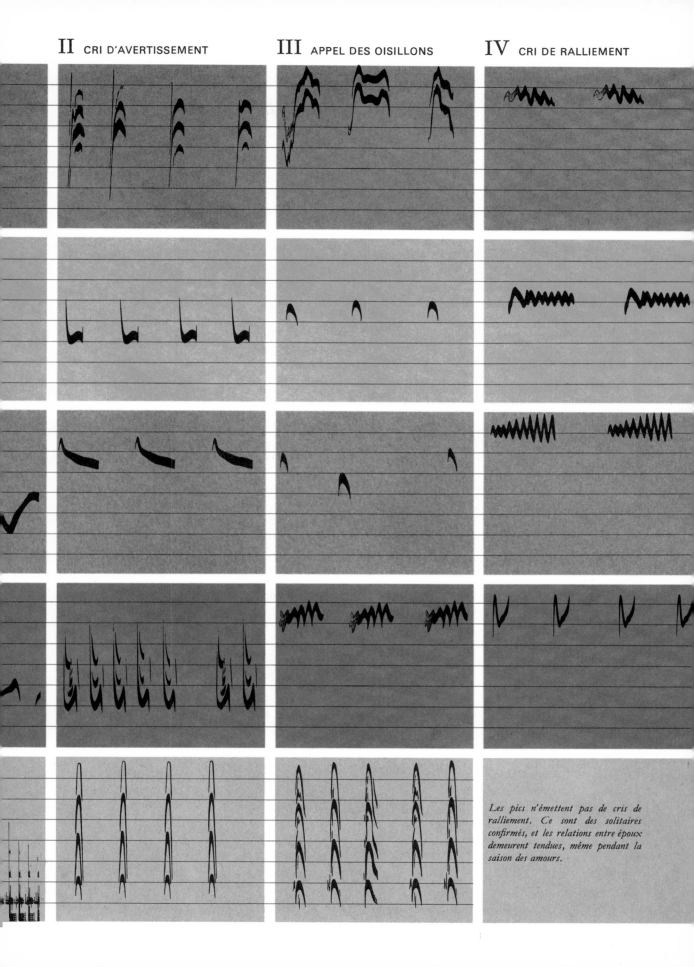

II CRI D'AVERTISSEMENT   **III** APPEL DES OISILLONS   **IV** CRI DE RALLIEMENT

Les pics n'émettent pas de cris de ralliement. Ce sont des solitaires confirmés, et les relations entre époux demeurent tendues, même pendant la saison des amours.

L'OISEAU DES DIEUX
ET DES ROIS

Le paon faisant la roue est, sans conteste, le plus représentatif des oiseaux se livrant à la parade nuptiale; son extraordinaire parure lui a valu la considération et la protection de l'homme.

Le paon est le plus ancien des oiseaux ornementaux. Deux mille ans avant Jésus-Christ, il fut enlevé à son habitat indien et amené au Moyen-Orient d'où il gagna le bassin méditerranéen. En Grèce et en Perse, il ne tarda pas à jouer un rôle aussi important qu'en Inde.

Il ne dut pas exclusivement sa déification à la splendeur de son plumage, mais plutôt aux marques en forme d'yeux qui apparaissent sur l'éventail qu'il déploie – l'homme croyant au pouvoir magique de l'œil en tant que force défensive et protectrice. En Inde, le paon est le symbole de Krichna, qui voit tout et possède donc d'innombrables yeux; les représentations de ce dieu empruntent fréquemment l'apparence d'un paon. Pour cette raison, le paon sauvage n'est jamais tué sur sa terre d'origine. En raison de cette protection, il perd souvent sa timidité, vit sans crainte dans le voisinage immédiat des hommes, et un vieux tronc d'arbre au cœur d'un village lui fournit souvent son logis. Certaines des caractéristiques de cet oiseau tendent à confirmer la croyance des Indiens selon laquelle il est sacré et protège l'homme: il émet de puissants cris d'avertissement quand il dé-

La petite couronne du paon peut aussi avoir contribué à la considération dont cet oiseau jouit en maints endroits. Les rois l'accueillaient à leur cour. Alexandre le Grand possédait déjà plusieurs de ces oiseaux royaux.

cèle la présence d'un tigre errant; il tue et dévore tous les petits serpents qu'il rencontre. On prétend d'ailleurs trouver très peu de cobras dans les zones fréquentées par les paons.

Le trône du shah de Perse est appelé «trône du paon». Le manteau de sacre de l'impératrice Farah est décoré d'une profusion de broderies représentant des «yeux» de paon.

Une miniature persane datant du XVIe siècle représente Mahomet lors de son voyage dans les sept sphères du ciel. Il chevauche sa jument *Burak* qui a le corps d'un cheval, la tête couronnée d'un humain et la queue d'un paon.

Dans la mythologie grecque, le paon est consacré à Héra, la reine de l'Olympe. Ce fut elle qui, après la mort d'Argus, le géant aux cent yeux, prit ceux-ci pour les placer sur les plumes du paon. Bien que nous sachions aujourd'hui que le paon est une créature terrestre, que les marques d'yeux de sa robe nuptiale ne possèdent que la seule vertu d'attirer sa partenaire et de réjouir l'homme par tant de beauté, cet oiseau demeure enveloppé de mystère.

Après la pluie,
le paon bleu lance son strident
cri d'amour.
Se confondant avec la terre,
terne, son harem émerge
d'entre les buissons
de la clairière.
Enfiévré, il tend sa gorge irisée
et lève très haut sa délicate couronne.

Les musulmans voient dans le paon le symbole du dualisme de l'âme masculine en raison de sa différence d'apparence au repos et au moment du rituel d'amour. Une légende, elle aussi d'origine musulmane, veut que le paon fût évincé du paradis en même temps qu'Adam et Eve et le serpent; de ce moment, il aurait perdu sa voix suave et, depuis lors, il ne peut pousser que d'affreux cris stridents.

La chrétienté attribue aussi une signification symbolique au paon. La perte de ses magnifiques plumes ornementales et leur renouvellement sont considérés comme un symbole de résurrection et d'immortalité.

De nos jours encore, les plumes de paon sont portées dans de nombreux pays pour se protéger du «mauvais œil». Des représentations stylisées d'yeux se retrouvent fréquemment sur d'anciens uniformes militaires, notamment près des parties aussi vulnérables que les genoux et les épaules. De nombreux emblèmes – ceux du Népal, de Burma et de la Corée du Nord, par exemple – comportent des représentations de paons.

Les marques d'œil se retrouvent très fréquemment dans la nature. Presque invariablement, elles réalisent une fonction dissuasive, défensive. On les remarque sur les ailes de papillon, les chenilles, les coléoptères, les poissons, les reptiles et sur de nombreux autres animaux. Les noms de ceux-ci rappellent souvent le plus célèbre des porteurs de dessins d'yeux: papillons-paons, diurnes et nocturnes; poissons-paons, etc.

Dans son habitat d'origine, le paon s'accouple durant la saison des pluies. L'humeur amoureuse l'incite aux vociférations. Il appelle sa partenaire par des cris perçants.

A l'époque des amours, le paon se montre peu sociable à l'égard de ses congénères. Chaque mâle recherche une zone de reproduction et s'efforce de rassembler un harem de deux à cinq femelles. Les rivaux qui se présentent et cherchent à conquérir l'une ou l'autre d'entre elles sont énergiquement rappelés à l'ordre. Pourtant, à l'intérieur du groupe matrimonial, les liens sont plutôt lâches; chacun de ses membres part indépendamment à la recherche de nourriture. Les femelles, aux couleurs ternes, reviennent sur le territoire de leur maître quand l'envie leur en prend. Dès que le paon aperçoit l'une de ses épouses, il se lance dans son incomparable parade nuptiale; faisant face à l'élue, il redresse ses plumes ornementales.

Avec l'approche de la femelle, l'excitation du paon monte. Il déploie ses plumes dans toute leur splendeur et présente de face une parabole multicolore; abaissant ses ailes avec un mouvement saccadé à la rencontre du sol, il est secoué de frissons extatiques et ses tremblements communiquent des frémissements à son imposant plumage. Puis, quand enfin la femelle lui fait face, un étrange phénomène se produit. Tout en maintenant sa pose de parade, l'argus se tourne et présente la partie postérieure de son corps à la femelle. Celle-ci, comme fascinée par une sorte de magie, le contourne en courant et revient lui faire face.

Sur les pages suivantes:

Les pigments du plumage du paon sont principalement bruns. La splendeur colorée de cet oiseau est en réalité une illusion d'optique. Elle est causée par la réfraction de la lumière sur la structure de surface des plumes et change d'après l'angle d'incidence de la lumière. Les composants rouges de celle-ci, étant de basse fréquence, se voient absorbés, tandis que les radiations bleues, de haute fréquence, sont reflétées par les innombrables et minuscules bulles d'air logées entre les barbules.

Le coq feint de picorer devant la femelle, lui désignant ainsi une nourriture symbolique. De ce fait, elle est invariablement attirée vers l'endroit voulu. Elle s'accroupit; vif comme l'éclair, le mâle se précipite et l'enveloppe totalement pour la copulation. L'éventail du paon est constitué des plumes très allongées de son dos qu'il porte derrière lui comme une traîne quand elles sont au repos. Chacune de ces plumes comporte un dessin d'œil très délimité à son extrémité; ces plumes étant de longueur variable, les marques d'yeux décorent tout l'éventail.

Les vingt plumes brunes qui forment l'armature de l'éventail sont beaucoup plus courtes. Les femelles font fréquemment la roue, surtout les jeunes. Les poussins même s'y essaient souvent. Ils redressent leurs petites ailes comme les adultes et forment un minuscule éventail avec les plumes courtes de leur queue. Le déploiement de l'éventail n'est donc pas seulement utilisé lors de la parade nuptiale par le mâle, lorsqu'il souhaite procréer; celui-ci se livre d'ailleurs à cette exhibition hors de la saison de l'accouplement, mais il y apporte moins d'emphase et de superbe.

LES OISEAUX ET LEURS ŒUFS

La multiplicité des oiseaux est incroyable, mais tous ont un élément commun: ils pondent des œufs – le minuscule colibri et l'autruche géante, le pingouin amphibie et le roi de la montagne, l'aigle.

Chez les poissons et les amphibies, on compte des espèces vivipares. La progéniture de certains lézards et boas du Nouveau-Monde se développe à l'intérieur du corps de la mère, tout comme chez la vipère; ce sont alors des ovovivipares. Chez les mammifères, on relève deux exceptions à la fécondation intra-utérine, l'ornithorynque et l'échidné qui pondent des œufs – fait stupéfiant qui fut découvert en 1884 en Australie, terre où abondent les espèces animales étranges. En revanche, tous les oiseaux pondent des œufs; pourtant, aucun de ceux-ci ne ressemble rigoureusement à un autre. Ils varient en taille, teintes et marques, en formes et en surface. Là encore, les oiseaux font preuve d'une extraordinaire variété.

Une couvée complète peut consister en un unique œuf ou en compter approximativement dix-huit. De nombreux oiseaux pondent un œuf chaque matin, quelques-uns l'après-midi, d'au-

Leurs teintes délicates,
leur immobilité
sont une réminiscence
des roches
venus des entrailles
de la terre:
agathe, marbre, jaspe.
Mais ce qui semble
être un minéral sans vie
n'est que la coquille
à l'abri de laquelle
se déroule
le plus grand
de tous les miracles:
le commencement de la vie.

tres à intervalles allant de deux à cinq jours, et certains s'interrompent pendant plus de deux semaines entre chaque ponte. Chez certaines espèces, seule la femelle couve; chez quelques rares autres, seul le mâle s'occupe de l'incubation, tandis que chez d'autres, très nombreuses, chacun des partenaires couve à tour de rôle. Occasionnellement, un oiseau peut couver les œufs d'un ou deux voisins en même temps que les siens. Certaines familles déposent un à un et frauduleusement leurs œufs dans des nids étrangers. Il existe un groupe d'oiseaux, de la taille d'une poule, qui observent une méthode particulièrement curieuse. Ils enfouissent leurs œufs dans la terre, comme leurs lointains ancêtres reptiliens. Par la suite, nous ferons plus ample connaissance avec ces mégapodidés.

Le petit calao gris, de la taille d'une pie, est considéré comme le plus petit de cette espèce. Tout comme ceux de sa famille, il a trouvé une excellente méthode pour protéger ses œufs: le couple emploie de la terre pour murer une cavité suffisamment vaste, ne laissant qu'une petite ouverture à travers laquelle la femelle, seule couveuse, peut être nourrie par son époux. Après un laps de temps très court, le mélange de terre et de salive devient aussi dur que du ciment.

ŒUFS SUR RADEAU

Quand un couple de grèbes huppés a fait connaissance au cours du charmant ballet aquatique qui préside au rituel d'amour, qu'il a réuni un amoncellement de fragments végétaux pour construire le nid flottant et qu'il a célébré ses noces sur ce radeau, la femelle pond de trois à sept œufs à intervalles de vingt-quatre heures. Initialement, les œufs sont presque blancs et «imprégnés» d'une substance calcifère crayeuse pour les protéger de l'humidité, mais la teinte ne tarde pas à virer à un vert sombre dû aux matériaux du nid qui se putréfient au contact de l'eau. Dès que le premier œuf est pondu, le couple commence à couver alternativement. Quand un danger menace, l'oiseau se lève sur le nid; avec rapidité et adresse, il recouvre les œufs d'un plein bec de végétaux, puis il s'éloigne sans manifester sa présence.

Sur les pages suivantes: œufs de divers oiseaux dans leurs nids. Les mesures indiquées (mm) se rapportent à la taille de l'œuf de l'espèce dont le nom précède. Evidemment, ces dimensions peuvent varier considérablement dans une même espèce.

1 STERNE ARCTIQUE: 40 × 29
2 GRIVE MUSICIENNE: 25,2 × 18,6
3 PIE BAVARDE: 35 × 24
4 PINSON D'ARBRE: 19,9 × 14
5 GRAND CORMORAN: 63 × 40
6 BRUANT JAUNE: 20,4 × 14,4
7 ETOURNEAU-SANSONNET: 29,6 × 21,1
8 BRUANT DES NEIGES: 19,7 × 14
9 POULE D'EAU: 41 × 29
10 LORIOT D'EUROPE: 29,9 × 21,1
11 FAUVETTE DES JARDINS: 20,4 × 13,2
12 GRÈBE CASTAGNEUX: 38 × 26
13 FAUVETTE BABILLARDE: 15,6 × 10,4
14 PIE-GRIÈCHE GRISE: 26,3 × 19,3
15 PIE-GRIÈCHE À POITRINE ROSE: 25 × 17,4
16 MÉSANGE CHARBONNIÈRE: 18,1 × 13,4
17 MOINEAU FRIQUET: 19,3 × 14,1
18 ROUGE-GORGE FAMILIER: 19,4 × 14,8
19 MERLE NOIR: 28 × 19,2
20 BEC-CROISÉ PERROQUET: 23 × 16
21 HIBOU MOYEN DUC: 40 × 32
22 VERDIER D'EUROPE: 21,5 × 16
23 CANARD COLVERT: 57 × 40
24 MOUETTE TRIDACTYLE: 55 × 40

Après le retour au nid, le grèbe huppé ôte soigneusement les feuilles recouvrant les œufs.

Soupçonneux, l'oiseau reste sur ses gardes, même quand il couve.

◄ *Alors que d'autres oiseaux aquatiques consomment le mariage dans l'eau, l'accouplement des grèbes huppés a lieu discrètement sur le nid-radeau. Le mâle, dressé de toute sa hauteur, maintient sous lui la femelle étendue très à plat.*

Dès que les deux tiers des petits sont nés, ils quittent le nid à la suite de leurs parents. Un ou deux œufs sont abandonnés ; les jeunes, sur le point d'éclore, sont alors voués à la destruction.

1   2   3

7   8   9

13   19 ▼   14   20 ▼   15   21 ▼

La mère couveuse se lève de temps à autre. Au moment précis où l'on serait tenté de croire qu'elle s'apprête à quitter le nid pour aller chercher sa nourriture se produit un événement étonnant: elle glisse doucement son bec sous les œufs et les retourne avec soin, après quoi elle reprend sa place sur le nid. Si les œufs ne sont pas fréquemment retournés, le jaune peut adhérer à la partie inférieure de la coquille et être ainsi endommagé. Bien entendu, l'oiseau l'ignore, mais est-ce que cela ne rend pas encore plus étonnant le fait qu'il imprime adroitement aux œufs la rotation voulue, à intervalles réguliers?

Comment le cygne peut-il savoir que le temps de la couvaison est venu? Les mystérieuses messagères nommées hormones, charriées par le flot sanguin, informent l'oiseau du moment où il lui faudra s'accroupir sur ses œufs. Instinctivement, il sait que la couvaison ne doit pas commencer avant que tous les œufs aient été pondus. Or, un laps de temps considérable devra s'écouler puisque, contrairement à la plupart des oiseaux qui pondent à intervalles de vingt-quatre heures, le cygne ne dépose son œuf que tous les deux ou trois jours; sa couvée de six à huit œufs exigera donc de deux à trois semaines.

Au cours de cette période, les parents cygnes, en monogames exemplaires, restent constamment dans le voisinage immédiat du nid. Dès que le dernier œuf a été pondu, la femelle reçoit «ordre» de couver. Ainsi que le veut la coutume parmi les ansériformes, seule la femelle réchauffe les œufs. Cette tâche n'est partagée par les époux que chez les cygnes noirs, les canards siffleurs et les oies semi-palmées. Néanmoins, le cygne muet mâle est des plus consciencieux. Il se tient toujours à proximité de son épouse en train de couver et celle-ci peut somnoler tranquillement sur le nid. Le cygne mâle affrontera la mort si un danger se manifeste. Son comportement défensif est des plus audacieux et impressionnant. Il se jette sur l'homme en émettant des sifflements de colère, ailes battantes, et met de gros chiens en déroute.

La violence qu'apporte le cygne à défendre son nid a conduit à la conclusion erronée voulant que cet oiseau soit capable de reconnaître ses propres œufs. Quand l'un d'eux se trouve à côté du nid, il le fait rouler vers les autres, mais il ne s'en occupe pas s'il est déposé à une certaine distance. Le mâle s'ingénie à ce que le nid flottant demeure intact. Du bec, il coupe constamment des roseaux dans le voisinage et les apporte à sa compagne. Sans se lever, celle-ci les prend dans son bec et les ajoute au nid. Au cours de la période d'incubation, cette pratique agrandit le radeau de roseaux qui peut atteindre deux mètres de diamètre et un mètre d'épaisseur. Résultat de cette reconstruction permanente, les œufs demeurent généralement secs, bien que le nid s'enfonce progressivement dans l'eau.

La femelle du cygne muet somnole trente-cinq jours sur ses œufs, à demi anesthésiée par une forte dose d'hormones tranquillisantes... Etant donné qu'elle ne commence pas à couver avant la ponte du dernier œuf, le développement des embryons, subordonné à une température élevée, commence simultanément pour tous les œufs. Ainsi, les petits seront prêts à rompre leur coquille au même moment.

Ainsi repose l'œuf, vie suspendue,
étranger absolu en regard de ses parents.
Quel extraordinaire pouvoir
peut obliger un oiseau,
assoiffé de mouvement,
à demeurer impassible
sur ses œufs?

ment correspond très exactement à la rapidité de leurs pulsations et à leur température qui atteint 41,5 degrés centigrades. Mais quand tous les œufs ont été pondus, un changement subit intervient dans cette activité débordante. L'oiseau doit couver. Il lui faut demeurer immobile de longues heures chaque jour; il doit résister aux tentations, irrésistibles à d'autres moments. Il lui faut ignorer les insectes qui passent à proximité, mets délicats qui sont générale-

œufs, dès que le premier a été déposé dans le nid, les futurs parents poursuivent leur inlassable activité. Du lever au coucher du soleil, ils sont constamment en mouvement, à part de courts instants de sommeil et un repos plus marqué à midi. Leur tempéra-

A gauche: Le petit pingouin qui pond sur une étroite corniche rocheuse ne saurait avoir une

Les premiers accouplements interviennent généralement au cours de la dernière phase de construction du nid; mais à peine celui-ci est-il achevé que le premier œuf y est déposé. Bien entendu, cela ne s'applique qu'aux oiseaux qui «épousent» leur partenaire et, parmi ces derniers, seulement à ceux qui construisent leur propre nid, ce qui n'est pas le cas du petit pingouin. Son unique œuf est pondu à même le roc, alors que la plupart des alciformes, même les plus expéditifs, creusent au moins une petite cavité dans le sol qu'ils garnissent de coquillages, galets ou fragments végétaux.

Si la couvée consiste en plusieurs

famille nombreuse et il se contente d'un unique œuf. – En haut, à droite: Alors que ses proches parents couvent à même le sol et, au mieux, empilent quelques algues pour construire un nid informe, le fou à pieds rouges érige un nid de brindilles sur un buisson; mais sa structure se révèle souvent si lâche que les œufs de couleur claire sont visibles à travers l'entrelacement. – En haut, au centre: Six œufs de rousserolle effarvatte reposent, bien protégés, dans cet habitat lacustre construit d'experte façon au milieu des roseaux.

ment absorbés avec voracité. Les bruits alarmants ne doivent plus le jeter dans un vol précipité. En résumé, les actes habituels, devenus une seconde nature, n'ont plus cours. Ce soudain réajustement d'une activité maximale à une immobilité complète est, sans aucun doute, l'un des plus grands mérites de l'oiseau tout au long d'une année fertile en événements.

Comment y parvient-il?
Est-ce de l'amour maternel?

Certainement pas. L'oiseau qui couve n'a pas conscience que ses enfants pourront éclore des durs objets ovoïdes sur lesquels il demeure avec tant de patience.

Modes variés
de reproduction

L'incubation est une action purement instinctive. Ainsi que pour la plupart des activités de l'oiseau, cet instinct est déclenché par un stimulus spécial. L'oiseau peut être considéré comme un animal doué de beaucoup de sensibilité mais de très peu d'intelligence. Ses qualités s'accordent parfaitement à la nature de cette créature turbulente. Quand, dans un vol précipité, l'oiseau se trouve subitement confronté soit à un danger, soit à une proie, il lui faut réagir en une fraction de seconde. A la vitesse de l'éclair, il doit éviter le danger ou fondre sur sa proie. Seul, son instinct le rend apte à entreprendre de lointaines migrations en temps voulu – avec l'intelligence et la seule capacité d'apprendre, il serait incapable de résoudre ses problèmes et de mener à bien de nombreuses autres tâches. Au cours de leur évolution, les oiseaux ont accru leurs possibilités de réagir correctement aux événements extérieurs et aux stimuli. Pourtant, cela n'implique en aucune façon que les oiseaux soient incapables d'apprendre; certaines espèces, notamment les perroquets et les corneilles, se montrent même particulièrement douées. Plus les mouvements exécutés par un oiseau sont instinctifs, plus il lui faut d'intelligence pour les coordonner correctement.

Les oiseaux ne réagissent à certains stimuli qu'en accord avec la saison. La vue des œufs ne suffit pas à engendrer la propension à l'incubation. Ils doivent tout d'abord être d'humeur à couver et celle-ci est causée par l'afflux de certaines hormones contenues dans le sang. Ainsi, tout comme les nerfs, les vaisseaux sanguins servent de moyen de communication aux stimuli auxquels l'oiseau répond «automatiquement». Ce sont les hormones qui obligent l'oiseau à demeurer sur ses œufs.

Chaque fois que s'est présentée une occasion de s'alléger, elle a été exploitée par les oiseaux au cours de leur évolution. Cela s'applique aussi aux organes reproducteurs. Les femelles ont deux ovaires, comme toutes les vertébrées, mais, à de très rares exceptions près, l'ovaire droit est atrophié et a perdu sa fonction. Le nombre total d'œufs qu'une femelle pondra tout au long de sa vie est déjà présent en elle à l'état latent sous forme de cellules microscopiques avant qu'elle ait atteint sa maturité sexuelle et la première période d'accouplement. Quand vient le temps de procréer, le nombre de cellules ovulaires prévu pour la ponte de cette saison augmente de volume et forme une grappe de dimensions très réduites; ce n'est qu'à ce stade que la fécondation peut se produire. Ainsi, la fertilisation n'intervient pas, chez les canards, par exemple, quand ceux-ci s'accouplent par jeu à l'automne. Alors que les œufs des reptiles atteignent simultanément le volume voulu au moment de la ponte, ceux des oiseaux ne se développent qu'un à un, bien qu'à intervalles extrêmement rapprochés. Durant le passage de l'œuf allant de l'ovaire à l'oviducte et au cloaque, son volume et son poids se multiplient plusieurs fois. Au cours de cette période, généralement de vingt-quatre heures, la sphère contenant le jaune s'accroît; puis se superposent autour d'elle des couches d'albumine, deux fines membranes élastiques et, enfin, une pellicule de pâte calcifère qui, en durcissant, confère à l'œuf sa forme.

La coloration de l'œuf est déjà présente en solution dans la pâte calcifère. Cette teinture, sécrétée par la vésicule biliaire, donne aux œufs les tons de base: vert, bleu, jaune, ou ceux plus atténués de brun et de rouge. Cependant, les marques que l'on voit sur la plupart des œufs ne se produisent que très peu de temps avant la ponte; parfois, elles peuvent même être effacées lorsqu'on essuie l'œuf fraîchement pondu. Les taches, mouchetures, marbrures délicates, allant généralement d'un brun rougeâtre au noir, proviennent de caillots laissés par l'oviducte. C'est pour cette raison qu'aucun œuf n'est marqué rigoureusement de la même façon, mais, souvent, le genre de dessin est si caractéristique qu'un expert peut identifier une espèce donnée sans avoir vu l'oiseau ou le nid.

Le volume de l'œuf par rapport à l'oiseau varie considérablement. En général, les espèces qui quittent précocement le nid proviennent d'œufs plus volumineux, car, au moment de leur éclosion, ils doivent avoir atteint un stade beaucoup plus avancé. Mais on relève nombre d'exceptions à cette règle.

La forme ovoïde typique ne se retrouve pas dans tous les œufs d'oiseau; ceux des chouettes sont souvent quasi sphériques; ceux des cormorans sont à tel point elliptiques qu'il est difficile d'en reconnaître l'extrémité pointue. Les œufs de l'engoulevent sont allongés et presque cylindriques.

L'illustration de la page de droite donne une idée des incroyables différences relevées parmi les œufs d'oiseau.

L'œuf du colibri ne pèse que 25 milligrammes; il est gros comme un petit pois; celui de l'autruche mesure en moyenne quatorze centimètres de long et pèse 1500 grammes. Son volume correspond à vingt-cinq œufs de poule. L'œuf du gigantesque aépyrnis, dont l'espèce s'est éteinte, mesurait plus de trente centimètres et pesait environ huit kilogrammes, soit le poids approximatif de 180 œufs de poule et 32000 œufs de colibri. On prétend que, au siècle dernier, les Malgaches utilisaient encore des fragments de coquille en tant que récipients.

Il est difficile d'expliquer les diverses formes d'œufs. Le kiwi, ne sortant pas de sa coquille avant d'avoir atteint un stade de développement très avancé, a un œuf très volumineux; il pèse environ 450 grammes, soit à peu près le septième du poids de l'oiseau; il pourrait difficilement passer par l'oviducte et le cloaque s'il n'empruntait pas une forme très allongée. Les œufs de pingouin, piriformes, démontrent l'adaptation à la fonction. Etant fréquemment déposés sur d'étroites corniches rocheuses, ils pourraient aisément rouler dans le vide, mais, si on leur imprime un mouvement, ils ne décrivent que de petits cercles en raison de leur forme.

L'œuf nous est si familier que nous oublions de considérer la merveille qu'il représente. L'embryon du mammifère, intimement relié à la mère, trouve dans le sang tout ce qui est nécessaire à son développement: substances nutritives, eau, oxygène. L'embryon de l'oiseau est déjà coupé du sang nourricier de la mère dès le premier stade de son développement; celui-ci doit donc se poursuivre dans un monde clos, isolé. Toutes les énergies et substances de développement, ainsi que les fluides indispensables, sont contenus dans l'œuf qui reçoit néanmoins une assistance extérieure: chaleur, humidité, oxygène. L'oiseau qui couve apporte généralement la chaleur et le degré hygrométrique voulu; les innombrables pores de la coquille et la poche d'air de l'extrémité pointue garantissent l'échange gazeux indispensable.

Quand, dans une espèce d'oiseaux, les deux sexes ont un plumage identique ou très similaire, les parents partagent généralement l'incubation. Les mâles au plumage resplendissant trahiraient l'emplacement du nid; ils ne participent donc pas à la couvaison. Il ne s'agit là que d'une règle générale comptant nombre d'exceptions. Par exemple, chez les cygnes, les deux sexes sont également remarquables et, seule, la femelle couve, tandis que les mâles, infiniment plus éclatants de certains fringillidés, apportent une contribution active à la couvaison.

Peu de temps avant la ponte et au cours de celle-ci apparaissent chez les oiseaux qui s'apprêtent à couver des zones spécifiques; ils perdent leur duvet et souvent les plumes de l'abdomen. Les parties de peau dénudée ainsi formées impliquent une irrigation sanguine accrue, et une élévation de la température s'ensuit. Chez l'oiseau qui couve, ces zones de peau nue et chaude adhèrent étroitement à la partie supérieure des œufs tandis que le duvet déposé au fond du nid en protège la partie inférieure. Les espèces qui nichent directement sur le sol ou construisent un nid rudimentaire ne se préoccupent guère de cette précaution supplémentaire; mais celles-ci ne pondent généralement que très peu d'œufs, souvent un ou deux, ce qui leur permet de les réchauffer aisément de leur abdomen.

La relève sur les œufs s'accompagne presque toujours d'un certain cérémonial. Il peut être très bref et simple, consister seulement en un effleurement du bec sur le dos de celui que l'autre vient relever, mais il peut aussi être une suite compliquée de mouvements précis et répétés durant plusieurs minutes. L'apport de nouveaux matériaux pour le nid joue fréquemment un rôle important dans ce cérémonial; de là l'accroissement continuel de certains nids au cours de la couvaison. Tel fut le cas pour un couple de grandes aigrettes que j'ai eu l'occasion d'observer; à chaque relève, le partenaire apportait un roseau que l'autre ajoutait au nid avant de le quitter.

La relève de couvaison intervient généralement à intervalles irréguliers. Chez certaines espèces, un « conjoint » couve la nuit, l'autre le jour. La femelle passe presque toujours plus de temps sur

les œufs que le mâle. Chez les pigeons, le mâle couve des premières heures de la matinée au début de l'après-midi ; le reste du temps, la femelle procure la chaleur indispensable. Ils assurent leur relève mutuelle avec une extrême ponctualité, ce qui leur permet d'abandonner le nid avant même l'arrivée du partenaire qui ne tarde pas à apparaître et reprend la couvaison. Cette habitude peut engendrer le malheur. Si la femelle a un accident pendant que le mâle couve, celui-ci abandonnera les œufs comme à l'accoutumée et reviendra le lendemain pour reprendre sa tâche, mais, entre-temps, les œufs auront refroidi et les embryons seront morts. Il répétera ce manège inutile jusqu'à ce que son instinct lui indique que la période normale d'incubation est terminée. Pourtant, chez la plupart des espèces couvant à tour de rôle, l'oiseau attendra d'être relevé pour prendre son vol. En cas d'accident, il arrive que le survivant se mette rapidement en quête de nourriture et revienne reprendre sa place. Un oiseau veuf peut fort bien élever sa nichée seul, bien que cela exige de sa part le double de travail.

Si une femelle perd ses œufs pendant le cycle de ponte, elle est normalement capable de les remplacer puisque, en règle générale, la couvaison ne commence que lorsque la totalité des œufs est déposée dans le nid, et ceux-là, seuls, comptent à ses yeux. Pourtant, les pigeons, là aussi, font exception à la règle. Si l'un de leurs deux œufs leur est enlevé, ils commencent à couver sans en pondre un autre ; mais si les deux œufs leur sont ôtés, ils reprennent le jeu d'accouplement depuis le début. Avec force roucoulements, le pigeon se pavane devant sa compagne dans la demi-heure qui suit la perte et l'invite à l'amour. Elle ne se fera guère prier et, deux jours plus tard, le premier œuf pourra déjà avoir été pondu. Mais ce jeu ne saurait être répété trop fréquemment – trois ou quatre fois au maximum ; c'est pourquoi le pigeon domestique n'a jamais été considéré comme un producteur d'œufs intéressant.

Dans des conditions analogues, de nombreuses espèces continuent à pondre sans interruption. Un choucas des tours qui, généralement, pond environ cinq œufs, en a pondu seize. Un torcol a atteint le nombre de soixante-deux. De nombreux oiseaux continuent à pondre jusqu'à ce qu'ils en meurent d'épuisement. Par cette méthode, on a essayé de décimer systématiquement les moineaux, les pies et autres espèces jugées sans intérêt.

Le coq sauvage d'Asie a pour femelle une pondeuse infatigable qui a été domestiquée depuis des millénaires. Elle constitue la souche des nombreuses variétés de coqs et poules domestiques réparties dans le monde. La production d'œufs a été constamment améliorée et, aujourd'hui, elle atteint trois cents œufs par an et par poule. Certaines canes ont une ponte numériquement comparable, mais elles exigent beaucoup plus de nourriture pour y parvenir, d'où leur peu d'intérêt en tant que productrices d'œufs.

Nous ne savons toujours pas dans quelle mesure les oiseaux sont capables d'identifier leurs œufs. Il semble que le nid et son voisinage se gravent davantage dans leur mémoire.

Dans le cas du cygne, nous avons déjà vu qu'il se désintéresse de ses œufs dès qu'on les a déplacés d'un mètre hors du nid ; il continuera calmement à couver des bouteilles qui lui auront été substituées. Des œufs de héron ont été remplacés par des cubes de bois qui furent acceptés et couvés sans la moindre opposition. Le goéland argenté ne remarquera pas les œufs artificiels introduits dans son nid ; une femelle canari couvera inlassablement des graviers s'ils ont approximativement la taille de ses œufs, quelle que soit leur couleur.

Pourtant, de nombreux oiseaux connaissent le nombre exact de leurs œufs tant que ceux-ci ne sont pas trop nombreux et, même alors, ils ont à peu près conscience du total. La sterne fuligineuse, qui ne couve qu'un seul œuf, refusera de se poser sur plusieurs. Si un deuxième est ajouté au sien, de la même espèce et identique en apparence, l'oiseau reconnaîtra son œuf et repoussera l'autre. Cela rend encore plus étonnant le fait qu'elle couvera une ampoule électrique à peu près de la taille de l'œuf auquel on l'aura substituée.

Les oiseaux chanteurs se désintéressent des œufs qui ont été repoussés sur l'extrême bord de leur nid ; quelques-uns refusent de couver quand un œuf de coucou a été déposé auprès des leurs, bien qu'il soit étonnamment semblable et que la femelle coucou ait pris la précaution d'emporter l'un des œufs de son hôte.

Le camouflage est le système de défense le plus souvent utilisé contre les pilleurs de nids. Gallinacés, canards, engoulevents et autres demeurent tapis sur leurs œufs dans une immobilité totale à l'approche du danger ; ils se confondent à ce qui les entoure. Nombre d'oiseaux couvant au sol ne s'échappent qu'à la toute dernière extrémité.

Lorsqu'on dérange un butor en train de couver, il se fige, le cou et le bec tendus à la verticale ; il se confond merveilleusement avec les roseaux qui entourent le nid. Certaines espèces montrent une telle habileté dans l'art de duper leurs ennemis qu'elles peuvent tromper un ornithologue averti. Ces oiseaux titubent, traînent l'une de leurs ailes comme si elle était cassée ; ils s'affalent avec des battements d'aile impuissants et laissent approcher l'homme jusqu'à proximité immédiate. Quand ces manœuvres ont attiré l'ennemi à une distance considérable du nid, ils s'envolent soudain à tire-d'aile. Ce procédé paraît à tel point délibéré qu'on serait tenté de le porter au crédit de l'intelligence de l'oiseau, bien que, évidemment, il soit purement instinctif.

Les audacieuses attaques auxquelles les mésanges se livrent sur les êtres humains qui approchent de l'endroit où elles couvent sont également le fruit d'un comportement inné. Certains rapaces diurnes et les strigidés défendent leurs œufs encore plus efficacement. Le photographe animalier Eric Hosking fut énucléé par un hibou dont il voulait photographier le nid. Les sternes peuvent mettre un homme en déroute par leur action collective. Une espèce, particulièrement « courageuse », va même jusqu'à ensanglanter la tête de l'intrus par de sauvages attaques en piqué.

LES OISEAUX ET LA LUMIÈRE

Avant la saison de reproduction, l'effet de certaines hormones sur la glande thyroïde a pour résultat l'apparition du magnifique plumage de la grande aigrette blanche: ces longues plumes du dos, délicatement frangées, que le mâle lèvera haut durant la parade nuptiale et qui l'auréoleront d'un nuage mousseux.

Les oiseaux sont tributaires du soleil qui règle le rythme de leur vie. Les stimuli que la lumière provoque sont enregistrés par l'œil et transmis au cerveau; là – dans l'hypophyse – ils donnent naissance aux miraculeuses substances qui éveillent les impulsions sexuelles, ordonnent l'éclosion du plumage ornemental et créent l'humeur propice à l'accouplement et à la perpétuation de l'espèce: les hormones.

Suivant l'influence de la lumière et la position du soleil, l'hypophyse sécrète des quantités plus ou moins grandes d'hormones. Le flot sanguin les distribue dans l'ensemble du corps où elles règlent et contrôlent le métabolisme des cellules et des organes – et tout particulièrement la production hormonale des autres glandes qui influent, dans une large mesure, sur le développement physique et sexuel de l'oiseau. Ainsi, les hormones sexuelles mâles et femelles, qui sont produites par l'hypophyse et dont la concentration est augmentée par l'allongement des jours, stimulent l'activité des gonades. D'autres hormones affectent la glande thyroïde, laquelle produit des hormones qui influent sur la mue et la migration.

LE DÉVELOPPEMENT D'UNE VIE

La réduction de la pesanteur est un facteur essentiel dans la conquête de l'espace aérien. Une femelle fécondée n'échappe pas à cette loi, et il lui faut pondre sa couvée œuf par œuf, généralement toutes les vingt-quatre heures. Certaines grandes espèces ne le font que tous les deux jours. Mais, dans tous les cas, l'oviducte ne contient qu'un œuf à la fois.

Premier jour :
La sphère jaune flotte dans l'albumine.
Le cicatricule, petit disque translucide, demeure
en suspension à la partie supérieure, proche
de la source thermique.

Troisième jour :
Le minuscule point rouge, le cœur, bat déjà,
alors que l'embryon n'évoque en rien
un vertébré.

Sixième jour :
Les extrémités sont discernables. Un point noir
sur l'énorme tête se distingue aisément :
l'œil en cours de développement.

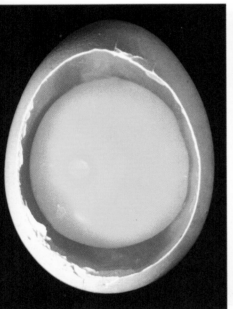
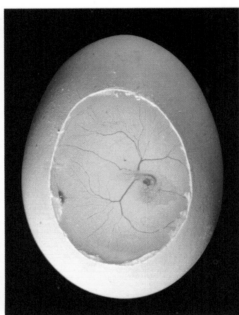
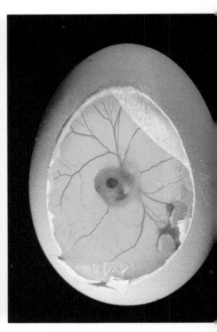

Seizième jour :
Déjà formé, le duvet ressemble à des filaments.
Chacune des plumes est recouverte d'une mince
pellicule protectrice.

Le développement de la vie a déjà débuté avant la ponte. La segmentation initiale de l'ovule, produisant des centaines de cellules, intervient dans le corps de la mère ; puis le processus est interrompu – jusqu'à ce que commence l'incubation. Dans l'œuf, soumis à une température de 40 degrés au contact de la peau, la segmentation des cellules reprend et, à partir de ce moment, l'oisillon se développe en un temps étonnamment court. Le jaune, ou vitellus, demeure en suspension, maintenu dans une position longitudinale par deux fibres albuminoïdes, les chalazes. La cicatricule repose sur la partie supérieure du jaune ; étant plus légère que les tissus nutritifs, elle occupera invariablement cette position, proche de la source thermique, quand l'œuf sera retourné. L'embryon, minuscule, transparent, vermiculaire, pourrait difficilement donner à penser qu'il s'agit là d'une créature vivante si le cœur, aisément décelable, ne battait constamment et avec vigueur. Bientôt, on peut discerner l'énorme tête, puis les extrémités. La formation du duvet a lieu le quinzième jour et, le vingtième jour, le poussin pépie à l'intérieur de la coquille...

Zéro heure: Rupture folliculaire. L'ovule se sépare
de la grappe ovigène.

Après 6 heures: La sphère jaune est entourée d'albumine
et de deux minces membranes.

Après 12 heures: Les parois de l'oviducte sécrètent la substance
calcifère qui forme la coquille protectrice.

Après 18 heures: Les marques de la coquille proviennent de caillots
sanguins laissés par l'oviducte de certaines espèces.

Après 24 heures: Ovulation. Le deuxième œuf se sépare de la
grappe ovigène, à peu près au même moment
que le précédent.

Dixième jour:
Par l'intermédiaire de la membrane vitelline,
les substances nutritives alimentent l'embryon
qui se développe rapidement.

Onzième jour:
Le minuscule oiseau déploie déjà une activité
stupéfiante; de temps à autre,
il se contorsionne avec véhémence.

Treizième jour:
Déjà, la membrane vitelline disparaît.
L'œil reste l'élément le plus marquant;
d'autres organes se devinent.

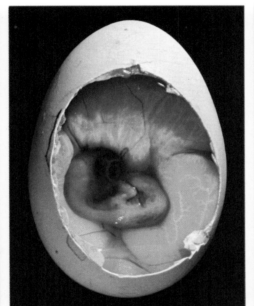

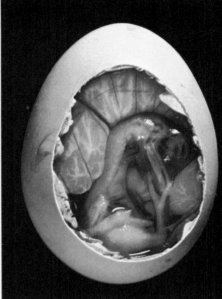

Vingtième jour:
Le poussin a atteint son plein développement.
Maintenant domine une extrémité
particulièrement importante: la patte.

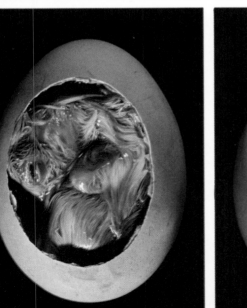

Le développement de l'embryon
du poulet domestique, illustré ici,
exige vingt et un jours. Suivant
les espèces, la période d'incubation varie de dix jours et demi
à quatre-vingts. Les illustrations
des deux pages suivantes représentent les phases de ce développement.

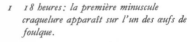

1 18 heures: la première minuscule craquelure apparaît sur l'un des œufs de foulque.

2 7 heures, le lendemain matin: le poussin a foré un trou dans la coquille à l'aide de l'excroissance cornée de son bec.

3 11 heures: le poussin a ébranlé la coquille par plusieurs petits trous et foré une ouverture plus large à proximité de sa tête.

4 14 h. 30: en se servant de sa tête, il a repoussé la partie oblongue de la coquille à la manière d'un couvercle.

5 14 h. 50: au prix d'efforts véhéments, répétés, interrompus par de longues pauses, le poussin se débat pour quitter la coquille.

Il peut paraître étrange que les parents n'aident pas leurs petits dans la tâche difficile que représente l'éclosion. Peut-être est-ce par prudence, afin de ne pas risquer de blesser la tendre peau des oisillons; sinon, les paroles d'Hermann Hesse sont sans doute valables: «Celui qui veut voir le jour doit briser un monde.» Vers le vingt et unième jour d'incubation, le poussin de la foulque macroule perce de son bec la poche d'air aménagée dans l'enveloppe interne de la coquille et située dans la partie oblongue de l'œuf. A partir de cet instant, le petit être respire. A l'intérieur de sa «prison», il commence à émettre des pépiements. Chez les espèces plus grandes, ces sons sont entendus à une distance de deux mètres. Les parents de certaines espèces répondent à ces appels; ainsi, le premier contact est établi.

Environ deux jours plus tard, le poussin perfore la coquille à l'aide de l'excroissance cornée de l'extrémité de son bec. Après une longue pause, un deuxième trou apparaîtra, très proche du premier. Peu à peu, le poussin crée plusieurs petites ouvertures qui, souvent, décrivent un cercle. Chaque fois qu'il s'attaque à la co-quille, le poussin s'arc-boute dans la direction opposée. A présent, le petit peut être observé à travers les diverses ouvertures; par intermittence, il amorce de puissantes tentatives en s'étirant et en poussant simultanément contre la paroi oblongue de l'œuf, jusqu'à ce que la coquille s'ouvre comme un couvercle. Après quoi il se repose pour être en mesure d'échapper à l'emprise de l'œuf, ce qui peut exiger plus d'une heure. Pendant ce temps, il abandonne progressivement sa position fœtale.

Le nouveau-né n'est pas aussi humide qu'il le paraît à première vue. Chaque plume du duvet est enveloppée par une délicate pellicule protectrice qui lui donne l'aspect et la finesse d'un cheveu. L'albumine translucide qui imprègne le duvet peut laisser croire à une certaine humidité, mais celui-ci est parfaitement sec sous cette protection. Après un temps très court, l'albumine sèche et le poussin se traîne autour du nid, effleurant des brindilles, des œufs, ses parents, ses frères. La délicate enveloppe se désagrège, le duvet

L'oiseau
lutte pour sortir
de l'œuf.
C'est son monde.

Celui qui veut voir le jour
doit briser
un monde.

HERMANN HESSE

6 *15 heures : presque totalement sorti de la coquille, le poussin étire le cou pendant de courts instants mais reprend sa position fœtale.*

6

se déploie et l'horrible petite chose se transforme en un charmant poussin.

Le processus complet d'éclosion, débutant avec l'apparition du premier trou sur la coquille, demande environ vingt-quatre heures pour des oiseaux de la taille approximative d'un poulet. Les espèces plus petites parviennent à éclore en quelques heures, tandis que, chez les plus grandes, cela peut exiger jusqu'à trois jours.

7

*Sur les pages suivantes :
16 heures : l'un des parents a débarrassé le nid de la coquille révélatrice. Maintenant, le poussin est presque « sec ».*

7 *15 h. 20 : après s'être libéré de la coquille, le poussin abandonne progressivement la position fœtale.*

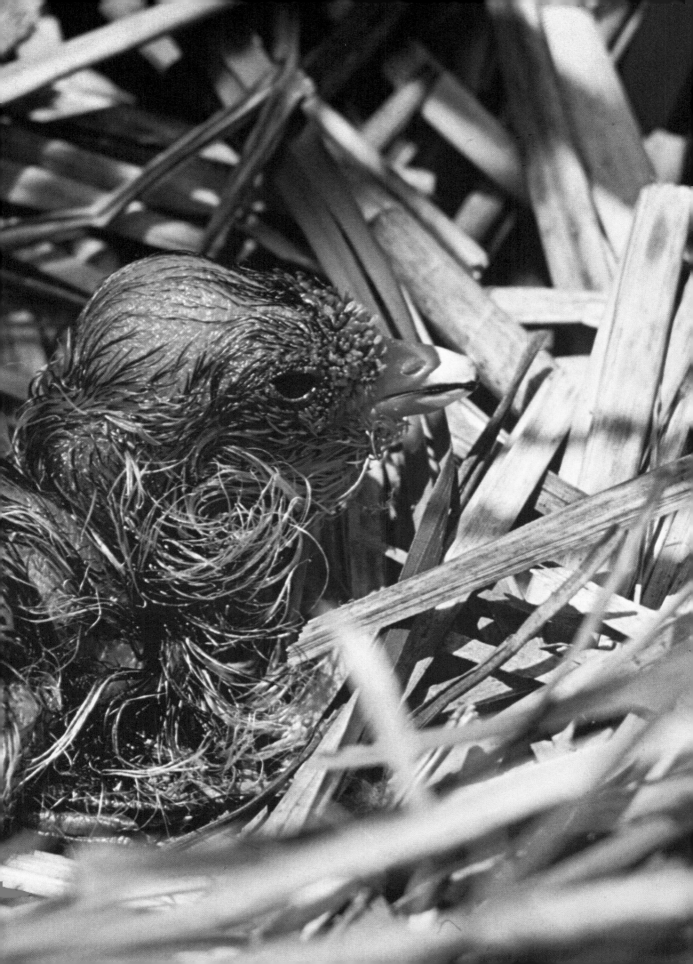

Le cri bisyllabique du coucou est familier aux Européens qui n'ignorent pas que cet oiseau introduit frauduleusement ses œufs dans des nids étrangers et laisse à d'autres le soin d'élever ses jeunes. Depuis longtemps, le cri et le comportement du coucou sym-

bolisent à la fois printemps, bonheur, longue vie, indolence, parasitisme et infanticide. Il nous semble difficile d'admettre que les habitudes du coucou puissent être jugées en bien ou en mal, puisque son comportement est dicté par l'instinct propre à son espèce.

1   *Le coucou commun, aux mœurs parasites, est répandu en Europe, en Afrique, en Asie.*

2   *L'oxylophe-geai d'Europe méridionale et d'Afrique pond de préférence dans les nids de corvidés.*

3   *Chez les anis des palétuviers, les femelles pondent dans un nid unique et elles se relaient pour la couvaison. Cette espèce vit en Amérique centrale et en Amérique du Sud.*

4   *Le coucou de Californie couve ses propres œufs. Il appartient à la famille des coucous à longues pattes, d'où son nom : « coureur de route ».*

5   *Les koels d'Asie et d'Australie pondent dans les nids étrangers.*

6   *Les couals habitent l'Afrique, l'Asie méridionale et le nord de l'Australie. Ils n'ont pas de mœurs parasites.*

Ci-contre:
Sans méfiance, la rousserolle effarvate nourrit le jeune coucou. Le bec rouge et béant de l'intrus semble exercer une fascination irrésistible sur les parents adoptifs. Ces derniers le nourriront avec la même dévotion qu'ils auraient vouée à leurs petits.

La famille du coucou compte environ cent quarante espèces; près des deux tiers de ces dernières élèvent elles-mêmes leurs petits. Les autres sont en partie ou exclusivement parasites, mais, parmi celles-ci, la plupart limitent leur choix à une ou à quelques rares variétés de leurs congénères.

Le coucou européen, le plus célèbre de tous les «parasites», l'est pour une bonne raison: il est parvenu à une maîtrise inégalée dans ses activités discutables. Sa solution à l'égard du problème de la reproduction rend tous liens matrimoniaux superflus. Les mâles ont leur territoire et s'y cantonnent, mais les femelles vagabondent et se laissent courtiser et séduire sans discrimination.

Les oiseaux pondent généralement leurs œufs tôt le matin; afin d'éviter des incidents avec les hôtes, la femelle coucou pond le sien l'après-midi. Pour ce faire, elle a repéré un nid ne contenant pas encore toute sa couvée; elle rôde dans le voisinage et s'en approche dès qu'il est abandonné pour un instant. En quelques secondes, elle pond son œuf, prend l'un de ceux de la propriétaire dans son bec et disparaît. La ponte ne présente pour elle aucune difficulté, car son œuf est relativement petit par rapport à sa taille.

Par ses dimensions, sa forme, sa couleur et ses marques, l'œuf du coucou doit être très semblable à celui de l'hôte; la femelle

ne peut donc l'adapter à n'importe quelle couvée. Tout au long de sa vie, chaque femelle pond le même type d'œufs qui sera repris par ses filles et petites-filles, et il ne correspond qu'à une ou à quelques rares espèces d'hôtes. Nous pourrions donc parler de diverses «races biologiques de coucou» qui pondent leurs œufs régulièrement et avec un plein succès dans les nids de plus de vingt espèces différentes. Si les hôtes n'ont pas remarqué la substitution, le jeune coucou éclôt après une période d'incubation extrêmement courte de dix jours et demi, soit avant ses frères de nid qui ne brisent leur coquille qu'après douze à quinze jours. Nu, aveugle, laid, le jeune coucou produit la même impression d'impuissance que tout autre oisillon nouveau-né. Mais il lui suffit de dix heures pour prouver qu'il n'est pas aussi délicat qu'il le paraît. Il se glisse sur le pourtour du nid, jusqu'à ce qu'il entre en contact avec un objet, généralement un œuf. Il se cale alors dessous, puis, faisant appel à toute sa force, il se hisse en arrière le long de la paroi et jette son fardeau

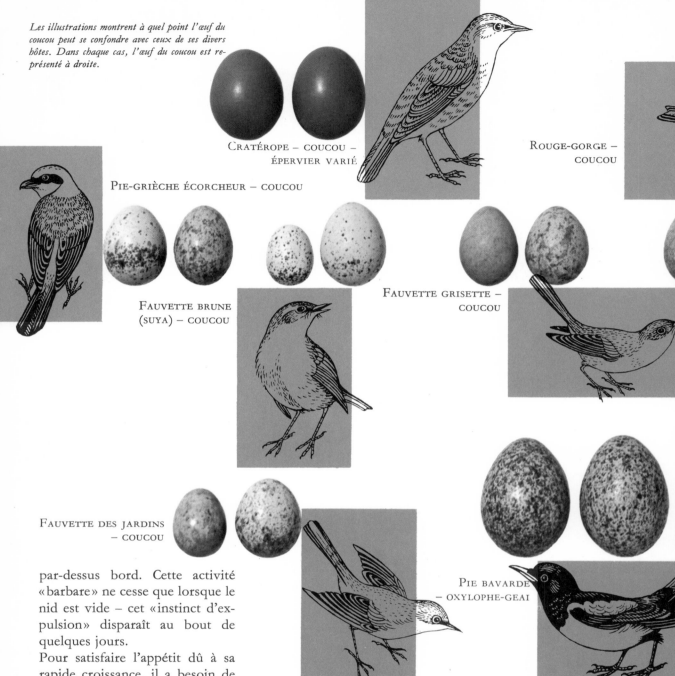

Les illustrations montrent à quel point l'œuf du coucou peut se confondre avec ceux de ses divers hôtes. Dans chaque cas, l'œuf du coucou est représenté à droite.

CRATÉROPE – COUCOU – ÉPERVIER VARIÉ

ROUGE-GORGE – COUCOU

PIE-GRIÈCHE ÉCORCHEUR – COUCOU

FAUVETTE BRUNE (SUYA) – COUCOU

FAUVETTE GRISETTE – COUCOU

FAUVETTE DES JARDINS – COUCOU

PIE BAVARDE – OXYLOPHE-GEAI

par-dessus bord. Cette activité «barbare» ne cesse que lorsque le nid est vide – cet «instinct d'expulsion» disparaît au bout de quelques jours.

Pour satisfaire l'appétit dû à sa rapide croissance, il a besoin de toute la nourriture qui aurait suffi à la couvée entière. Etant encore incapable de voler quand il sort du nid à l'âge de trois semaines, ses parents adoptifs doivent continuer à le nourrir pendant près d'un mois.

Au cours des premiers jours de sa vie, le coucou femelle enregistre déjà des impressions durables sur ses parents adoptifs, ce qui lui

permettra plus tard de repérer les nids dans lesquels elle devra pondre. Cependant, le lien qui la rattache à ses nourriciers est essentiellement constitué par le nid; c'est donc celui de cette espèce ou d'une autre analogue qu'elle cherchera pour déposer ses œufs.

Ainsi sont nées les «races biolo-

giques de coucou»: coucou-rousserolle, et coucou-bergeronnette, coucou-rouge-gorge, par exemple. Bien entendu, tous les coucous sont identiques, mais chaque «race» a son hôte habituel, tout en disposant de quelques hôtes occasionnels. Un coucou femelle évite cependant de rendre visite à

FAUVETTE
À TÊTE NOIRE
– COUCOU

ROUSSEROLLE
EFFARVATTE
– COUCOU

ARACHNOTHÈRE
– COUCOU-ÉPERVIER
ORDINAIRE

PRINIE
– PETIT COUCOU

ROUSSEROLLE
VERDEROLLE
– COUCOU

Des exemples de reproducteurs parasites peu scrupuleux nous sont fournis par l'indicateur mange-miel de l'ordre des pics, le tisserin parasitique, toutes les variétés de veuves chez les plocéidés, le molothre noir. Le canard à tête noire d'Argentine pond aussi ses œufs dans des nids étrangers, appartenant généralement à divers canards, mais il lui arrive de pondre sur les aires de rapaces diurnes. Pourtant, contrairement au coucou, la plupart des oiseaux précités ne confient leurs œufs qu'à de proches parents. Presque tous se limitent au type d'hôte dont les œufs ressemblent fortement aux leurs.

L'«instinct d'expulsion» du jeune se rencontre exclusivement chez le coucou. Cependant, l'indicateur mange-miel a mis au point une technique parallèle des plus intéressantes. Les petits de cette variété de pic se retrouvent invariablement seuls dans le nid de leur hôte. Encore nus et aveugles, ils n'en sont pas moins devenus des «assassins». L'extrémité de leur bec comporte deux crochets pointus dont ils lacèrent les autres nouveau-nés. Une dizaine de jours plus tard, quand la macabre besogne aura été accomplie, les deux crochets tomberont...

ces derniers; si elle s'y résout, souvent les choses tournent mal, car la supercherie est découverte et l'œuf étranger est rejeté.

Bien que le coucou soit sans conteste le roi des reproducteurs parasites, et qu'il soit parvenu à une maîtrise inégalée dans cette technique, il n'est pas le seul qui abandonne le soin de sa couvée à d'autres. On dénombre 82 espèces, appartenant aux familles les plus diverses, qui se reproduisent exclusivement au moyen de telles pratiques. On compte aussi de nombreuses espèces qui ont recours à ces méthodes occasionnellement.

ÉPOUSES PETITES AMIES ET CONCUBINES

Au cours de leur évolution, les oiseaux ont expérimenté toutes les formes possibles de vie conjugale. Ils ont peu à peu rendu plus subtils les liens matrimoniaux, mais, résultat de cette spécialisation, le «mariage parfait», l'engagement d'un couple pour la vie – ou tout au moins pour une saison de reproduction – ne s'est pas révélé la seule formule acceptable. Aussi, à l'heure actuelle, pouvons-nous trouver parmi les oiseaux d'invétérés monogames et d'ardents polygames.

Les raisons ayant engendré les liens du mariage furent probablement les mêmes que celles ayant déterminé l'instinct du nid : le soin des jeunes et leur protection contre un environnement hostile. Les femelles couvant au sol, dont les jeunes quittent le nid très tôt, peuvent généralement se passer de la présence de leur conjoint. Il ne leur incombe pas la tâche laborieuse de nourrir chaque poussin à la becquée ; elles mènent leur nichée, déjà indépendante dès la naissance, vers la nourriture. Chez la plupart des gallinacés et des canards, les femelles parviennent donc seules à élever leurs petits.

Bien entendu, des exceptions confirment la règle. Râles, van-

Leur profonde aversion
pour la monotonie,
leur goût effréné
de la variété
ne sauraient être
jugulés
par les liens
du mariage.

neaux et certains phasianinés se montrent des pères pleins de sollicitude qui aident leur épouse à conduire les poussins dès que ceux-ci quittent le nid. Grues et oies, qui couvent aussi au sol, ne se contentent pas d'un mariage saisonnier mais s'engagent pour la vie.

La majorité des espèces préfère la vie arboricole, car elle offre plus de sécurité. A l'abri des hautes branches, les petits peuvent de-

les nids sont cachés dans un tronc d'arbre, une faille de rocher ou de terre. Mais cette sécurité a sa contrepartie et exige davantage des parents. La nourriture, en quantité considérable, doit être apportée aux enfants; de ce fait, le père prête généralement son assistance à la femelle.

Ici aussi, on relève un certain nombre d'exceptions; les femelles des paradisiers, par exemple, assument seules la couvaison et l'élevage de leurs petits, bien que

meurer paisiblement dans le nid jusqu'à ce que leurs ailes soient en mesure de les soutenir. Leur berceau est généralement si bien dissimulé qu'ils n'ont guère à redouter les prédateurs. Il en va de même pour les troglodytes, les pics, les mésanges et autres dont

ceux-ci demeurent dans des nids haut perchés jusqu'à ce qu'ils soient complètement emplumés. Aucune règle n'est immuable, mais, en général, les espèces dont les jeunes demeurent au nid contractent des mariages plus durables que les autres.

Nombre d'oiseaux se sont décidés en faveur de ce que nous considérons comme le «mariage parfait», l'union qui dure jusqu'à la mort de l'un des partenaires.

Chez la plupart des espèces, les jeunes, en tant que membres de la communauté, mènent une vie mouvementée; souvent, ils entreprennent des migrations qui les amènent fort loin de leur habitat, mais, dès qu'ils sont en âge de procréer, ils recherchent un territoire dans une zone semblable à celle où ils ont vu le jour. Les jeux d'accouplement de la jeunesse qui, jusque-là, avaient été insouciants et maladroits, revêtent tout à coup un caractère précis, impérieux. Les couples se forment. En même temps qu'ils commencent à construire le nid, les deux partenaires tissent entre eux des liens susceptibles de durer toute la vie. L'empressement, l'habitude les poussent souvent à demeurer ensemble après l'envol de la première couvée; le couple uni reste alors sur son territoire et repousse tout intrus appartenant à son espèce. Dans ce cas, la fidélité des deux oiseaux est compréhensible. Cependant, il est étonnant que la majorité de ces monogames se rassemblent en automne

pour des vols migrateurs sans pour autant se séparer.

Certains grands rapaces diurnes vivent en couple sur le même territoire, tout au long de l'année; ceux qui émigrent partent à deux. Les couples d'effraies communes demeurent plusieurs années sur le même territoire, tout comme les puissants corbeaux. Oies, cigognes, grues se rassemblent souvent en grands vols pour gagner leurs quartiers d'hiver où elles mènent une existence grégaire. Chez certaines espèces, les couples peuvent se séparer pour un

Les aigles pêcheurs d'Afrique forment des couples unis et fidèles jusqu'à la mort. Sur leur territoire, les deux partenaires restent en contact constant au moyen d'appels aigus, sauvages et magnifiques; d'où leur surnom: « La voix de l'Afrique ».

temps – c'est probablement l'attachement à un lieu plutôt qu'au partenaire qui réunit le couple sur son aire habituelle. Il en va ainsi pour les cigognes blanches; elles reviennent individuellement de leurs quartiers d'hiver. Si une jeune femelle tente de pénétrer dans un territoire occupé par un couple plus âgé, le mâle considère calmement son épouse pendant que celle-ci repousse l'intruse. L'une des deux doit obligatoirement prendre le dessus, et c'est avec la triomphatrice qu'il célébrera ses noces; peu importe que ce soit l'une ou l'autre...

A droite: Un ara à aile verte et un ara macao, sur les berges du Rio Manu, au sud-est du Pérou. Ces oiseaux sont friands de terre argileuse et saumâtre. Cette illustration reproduit le premier cliché qui a vraisemblablement été pris d'aras en terrain découvert.
Les perroquets mènent généralement une existence grégaire. Ils se groupent souvent en immenses vols pour rechercher des terrains propres à leur fournir leur nourriture. Cependant, une observation attentive prouve que les couples, pris individuellement, demeurent très unis. Quand un couple désire procréer, il part seul à la recherche d'un tronc d'arbre creux, propice au nid. Certaines espèces se reproduisent au sein de colonies; la perruche verte niche dans une sorte de logement collectif constitué d'un amoncellement de broussailles.

LONGUES FIANÇAILLES – BRÈVE UNION

Sur ses œufs, la femelle eider nous fournit la preuve de l'excellent camouflage procuré aux canes par la coloration neutre de leur plumage, même en terrain découvert.

En bas et à droite: Chez les dendrocygnes veufs, mâle et femelle ont la même coloration éclatante; ils nichent dans des grottes et le plumage n'a pas à leur tenir lieu de camouflage. Ainsi, le mâle peut en toute sécurité participer aux soins qu'exige la nichée. Les dendrocygnes veufs sont probablement fidèles l'un à l'autre leur vie durant.

Les pluviers à collier et leurs proches parents observent le genre d'union le plus courant chez les oiseaux: le mariage pour une seule saison de re-production. En automne, ils se rassemblent en grands vols qui éclatent pour former de nouveaux couples au printemps.

Chez les canards, le mariage est très curieux. Le malard – ou canard mâle – semble enclin à la sollicitude envers sa future épouse. Il n'attend pas la saison de l'accouplement pour poursuivre les femelles de ses assiduités. Il commence sa cour en automne et, quand l'une des canes a « consenti », il demeure fidèlement aux côtés de sa fiancée, à la robe terne, tout au long de l'hiver. Mais au printemps, quand le mariage est enfin consommé après ces longues fiançailles, quand la femelle a déposé ses nombreux œufs dans le nid de duvet et que le mâle se trouve face aux responsabilités de la cou-vaison et des soins à prodiguer aux petits, le séducteur se montre sous son véritable jour. Les devoirs paternels ne le tentent guère. Il rompt le mariage et rejoint la coterie insouciante des autres mâles. Tandis que les « perfides » époux profitent joyeusement de l'été, les femelles couvent patiemment et conduisent leurs précoces rejetons vers les lieux propices à leur alimenta-tion, sans être autrement aidées par leurs frivoles maris.

Le plumage aux splendides couleurs du malard conviendrait mal à la cou-vaison et à l'escorte des petits; il se ferait trop facilement remarquer par les pilleurs de nids, tandis que la robe terne de la femelle lui procure un excel-lent camouflage. Accroupie, immobile, elle se confond avec le décor et semble pleinement consciente de son mimétisme. Même à très courte dis-tance, on ne la remarque généralement pas et, ainsi, elle peut rester sur ses œufs jusqu'à la toute dernière limite.

Rare est l'union
de la beauté
et de
la pureté.

JUVENAL, «SATIRES»

La longue période de «fiançailles» des canards s'explique peut-être par l'esprit critique qu'ils apportent dans le choix de leur partenaire, se refusant à accepter indistinctement le premier venu. En automne, ils se rassemblent en grands vols pour chercher fortune et, peu après, ils entament un flirt en communauté, fort enjoué et même licencieux. La femelle peut, par exemple, soudain évoluer autour des mâles, décrivant des cercles, la tête agitée

qu'à l'extase qui, brutalement, cesse. Après quoi suit une période de repos.

Ces jeux communautaires d'automne revêtent apparemment une grande importance pour les brèves unions des canards. Le comportement qu'ils affichent ne tarde pas à attirer d'autres congénères. Plus le rassemblement s'amplifie, plus les chances augmentent pour que le sujet découvre un partenaire à sa conve-

cherchent à séduire une cane encore libre; or, il n'en est rien. A cette époque, les mariages ont été contractés depuis longtemps – les malards continuent simplement à mener une existence communautaire et ne se préoccupent guère de leurs épouses retenues au foyer. Très souvent, l'un d'eux se lance dans une escapade et prend par surprise la compagne d'un de ses congénères. La cane, étant d'un naturel fidèle, s'enfuit immédiatement, poursuivie par le

de vigoureux mouvements de bas en haut; en groupes, les malards peuvent se mettre à frissonner, à se tortiller, levant haut la queue et la tête rejetée en arrière. L'ensemble de la communauté atteint progressivement un intense degré d'excitation, allant presque jus-

nance, sans qu'il ait besoin de se presser, puisque le jeu commence dès l'automne... Au printemps, on aperçoit parfois deux malards à la poursuite d'une femelle qui s'efforce désespérément d'échapper aux importuns. Un tel spectacle donne à penser que les mâles

séducteur, lequel, à son tour, se retrouve avec le mari en titre sur les talons. Après une brève fuite éperdue, le don Juan abandonne sa téméraire entreprise, vouée à l'échec, et va à tire-d'aile retrouver son épouse.

MARIAGES SAISONNIERS

1 *Les magnifiques frégates ne s'unissent que pour une seule saison de reproduction.*

2 *A une certaine distance de leur nid accroché à la falaise, deux fous de Bassan se congratulent au moment où l'un vient remplacer l'autre sur les œufs.*

3 *Au cours de la « lune de miel » qui précède la ponte, un couple de courlis patauge dans les eaux peu profondes, à la recherche de nourriture.*

4 *Conformément à la coutume de leur clan, le mariage des eiders est dissous dès que les œufs ont été pondus.*

5 *Deux fous masqués se saluent avec l'éloquent langage de gestes propre à leur espèce.*

2

1

3

4

5

6

L'union pour une seule saison de reproduction semble le mieux convenir aux oiseaux. C'est la forme de mariage la plus pratiquée. Si nombre d'oiseaux restent mutuellement fidèles pendant des années, qui pourrait prétendre connaître intimement la «vie amoureuse» de toutes les petites espèces à l'humeur vive?

Chez la plupart des espèces, les couples font preuve d'une étroite intimité. Lorsqu'on observe deux époux qui s'accueillent avec exubérance quand l'un remplace l'autre sur le nid, qu'ils se caressent mutuellement ou se blottissent l'un contre l'autre, il est difficile de ne pas conclure que le couple s'aime profondément – au sens humain de cette expression – et que leurs relations sont infiniment plus tendres que l'exigerait le soin de leur progéniture. Un couple, apparemment moins tendre dans son comportement, peut aussi partager la couvaison et l'éducation des petits. Les pics nous en fournissent un exemple. A quelques rares exceptions près, les pics sont des solitaires endurcis. En dehors de la saison de reproduction, chacun d'eux continue à habiter son propre terri-

6 La grande aigrette mâle vient relever sa partenaire en lui offrant un brin de roseau.

7 Un sterne apporte de la nourriture à ses petits. Quand le sterne est amoureux, il prouve souvent son affection en offrant un petit poisson à sa partenaire.

8 Chez les pics, les relations matrimoniales sont tendues. Celui-ci a aussi son mot à dire...

9 Un couple d'oiseaux rares: les sternes de Dougall.

10 Ce couple de manchots des Galapagos est encore plus rare. A l'heure actuelle, on ne dénombre plus qu'environ deux cents oiseaux de cette espèce.

11 Quand les frégates ont consommé le mariage. le séduisant ballon rouge du mâle se dégonfle.

7   8

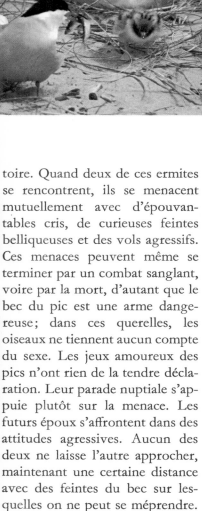

9

toire. Quand deux de ces ermites se rencontrent, ils se menacent mutuellement avec d'épouvantables cris, de curieuses feintes belliqueuses et des vols agressifs. Ces menaces peuvent même se terminer par un combat sanglant, voire par la mort, d'autant que le bec du pic est une arme dangereuse; dans ces querelles, les oiseaux ne tiennent aucun compte du sexe. Les jeux amoureux des pics n'ont rien de la tendre déclaration. Leur parade nuptiale s'appuie plutôt sur la menace. Les futurs époux s'affrontent dans des attitudes agressives. Aucun des deux ne laisse l'autre approcher, maintenant une certaine distance avec des feintes du bec sur lesquelles on ne peut se méprendre. Les partenaires semblent beau-

10   11

coup hésiter avant de convoler. Lorsque les œufs sont pondus dans la cavité tapissée de copeaux, les parents couvent alternativement; le mâle généralement la nuit. Quand le pic s'approche de l'arbre pour assurer la relève, aucune manifestation de tendresse n'intervient; celui qui quitte le nid part comme s'il en

était chassé. Ces relations, extrêmement tendues, comportent d'ailleurs de nombreuses querelles intestines, et l'union est dissoute sans délai dès que les jeunes sont tirés d'affaire.

Sur les pages suivantes: Un couple de mouettes à queue fourchue se salue avec l'intensité sonore propre à leur espèce.

AUTRE POLITIQUE
DE L'AUTRUCHE...

L'autruche mâle conquiert son harei
par une danse extatiqu
Mais, bientôt, il prouv
qu'il est davantage qu'un arder
don Juar

L'autruche africaine pratique probablement la forme de mariage la
plus curieuse qui soit. Avec force
cris gutturaux et de curieuses
contorsions du cou, agité de
tremblements et battant des ailes,
le gigantesque mâle s'assure de la
dévotion d'une femelle, puis
d'une autre et d'une autre encore
– son harem compte généralement trois épouses. Il s'installe
dans la dépression qu'il a com-
mencé à creuser dans le sable au
cours de sa parade nuptiale. Bientôt, chacune de ses femelles vien-
dra déposer contre sa poitrine, à
deux jours d'intervalle, de quatre
à dix œufs; il les repoussera sous
son ventre à délicats coups de
bec. Au cours de la couvaison, il
est relayé pour de brèves périodes, principalement le jour, par
l'une de ses femelles, la favorite,
qui éconduit énergiquement les
autres dont le seul droit est de déposer leurs œufs dans le nid.

On relève quelques exceptions à
cette règle, surtout dans le cas où
le harem compte plus de trois femelles. Mais alors, la profusion
d'œufs n'autorise pas une incubation satisfaisante, et il risque de
ne pas y avoir de progéniture.

A gauche: La curieuse vie matrimoniale de l'autruche est schématiquement exposée dans cette illustration; en plus de son épouse favorite, le mâle a généralement deux « concubines ».

onsciencieusement, il s'installe
ur l'amoncellement d'œufs géants.
eule, sa favorite peut l'aider
assumer son devoir
aternel.

Ci-dessous: Le mâle n'autorise que sa seule favorite à l'aider dans la couvaison des œufs de son harem et à guider les petits. Ici, accompagnée de jeunes, elle cherche de la nourriture tandis que, non loin de là, le mâle s'occupe des autres membres de la nichée.

LA VIE CONJUGALE DES GALLINACÉS

Sous la lueur
incertaine du ciel vitreux
s'étend la solitude
de la savane,
hostile à la vie.
Tourmenté par la chaleur
suffocante,
le gibier se tient
dans l'ombre filigranée
des buissons gris,
jaunes, brunâtres;
végétation brûlée,
saupoudrée de poussière.
Mais quel est ce
scintillement
bleu acier
qui strie l'herbe rare?
Une procession
de pintades vulturines:
véritable oasis vivante
qui retient le regard
ébloui
de l'homme.

Les gallinacés sont des polygames confirmés – tout au moins pour la plupart. Cela rend encore plus surprenante l'inhabituelle vie conjugale menée par certains d'entre eux.

Les mœurs de la perdrix bartavelle nous en fournissent un exemple. L'ornithologue Heinz-Sigurd Raethel soutient que, après l'accouplement, la femelle de ces monogames saisonniers creuse une tranchée et y dépose huit à dix œufs. Après quoi, généralement, elle procède de même

Le couple de perdrix bartavelle couve deux nids simultanément; la poule s'occupe de l'un, le coq de l'autre!

A droite: Dans le nord de l'Afrique orientale, les pintades vulturines vivent parfois en immenses troupeaux au cœur de la savane. Les couples demeurent unis tout au long de la saison de reproduction.

pour une deuxième tranchée, à une centaine de mètres de la première. A ce stade prend place un événement stupéfiant: elle s'accroupit sur l'un des nids tandis que le mâle se met à couver l'autre. Dès que l'éclosion a eu lieu, le couple se reforme et guide sa nombreuse progéniture.

En revanche, les paons sont des don Juan – ils considèrent que leur devoir paternel se limite à féconder autant de femelles que possible. Mais leurs proches parentes, les pintades, sont mono-

games, tout au moins pendant la durée d'une saison de reproduction. Si elles ne poussent pas les

choses aussi loin que la perdrix bartavelle, les mâles n'en restent pas moins à proximité du nid durant la couvaison et, après l'éclosion, ils contribuent à l'éducation des jeunes.

Le coq est devenu le symbole de la fertilité, de la passion et du don Juan sans inhibition. La plupart de ses parents sont polygames, et leur devoir paternel se limite à la fécondation d'un nombre de poules aussi grand que possible...

A l'intérieur de leur troupeau, les pintades monogames vivent en couples, ainsi que nous l'indique la représentation schématique. Le coq reste toujours à proximité de la couveuse qu'il aide par la suite à élever les poussins.

A quelques rares exceptions près, les tétraoninés mâles courtisent les femelles en groupes.

Les hoccos sont monogames ; les espèces les plus grandes vivent probablement par couple plusieurs années durant.

Les hoazins sont monogames, mais ils nichent en communauté dans les buissons ou les arbres bas.

Chez les tétraonidés, qui comprennent des polygames aussi confirmés que le tétras-lyre, le coq de bruyère et le cupidon des prairies, on compte des espèces qui pratiquent une rigoureuse monogamie : la gélinotte des bois, le lagopède muet. Chez ces derniers, le mâle reste aussi à proximité de sa femelle quand elle couve et, par la suite, il l'aide à conduire et à réchauffer les poussins.

Des squelettes de gallinacés ont été retrouvés dans des formations géologiques remontant environ à cinquante millions d'années !
Même si nous ne disposions pas de tels fossiles, les gallinacés seraient reconnus comme une très ancienne famille. Ils s'en sont tenus à la vie au sol ; la robustesse de leurs pattes le leur permet et, devant un danger, ils préfèrent généralement se dissimuler à l'abri de la végétation ou s'échapper en courant plutôt qu'à tire-d'aile. En dépit de leur taille, ils ont conservé une apparence très homogène. Enfin, la plupart des

263 espèces connues de gallinacés pratiquent encore une forme de mariage fort archaïque chez les oiseaux : la polygamie de promiscuité. Le fait que l'on dénombre certaines espèces qui se refusent à « jouer le jeu », tels la pintade, la perdrix-bartavelle, le lagopède muet déjà nommés, les hoccos et leurs proches parents les hoazins, démontre que ceux-ci n'ont manifestement pas réussi à influencer l'ensemble de leurs voisins...

A la saison des amours, les mâles fascinent les femelles par des appels vigoureux. Ce faisant, ils se tiennent généralement seuls sur leur territoire qu'ils défendent âprement contre tout autre mâle. Chez certaines espèces, plusieurs coqs peuvent se rassembler pour parader en commun, allant même jusqu'à mimer des duels – comme pour prouver leur virilité aux belles. Puis ils exhibent fièrement leur plumage irisé, affichent des attitudes d'extrême vanité. Mais le mariage en soi ne dure que quelques minutes. Dès que la poule a été fécondée, le coq ne lui prête plus la moindre attention. Il retourne à sa « vie sociale » – parfois au sein d'un immense troupeau.
Dans la plupart des cas, la poule

porte un terne plumage de camouflage qui lui confère une excellente protection durant la couvaison. En revanche, le plumage magnifique de certains coqs, tout au long de l'année, leur vaut d'être rangés parmi les plus beaux oiseaux. Pendant la parade nuptiale, exécutée avec une in-

Quand les dindons sauvages ne peuvent se rassembler en troupeaux de mâles parce que ces derniers ont été décimés pour une raison quelconque, ils se joignent à des groupes de dindes et

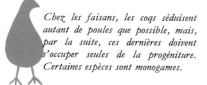

Chez les faisans, les coqs séduisent autant de poules que possible, mais, par la suite, ces dernières doivent s'occuper seules de la progéniture. Certaines espèces sont monogames.

Les dindons, tout comme les faisans, sont polygames; plusieurs femelles couvent souvent à proximité immédiate les unes des autres; parfois, deux ou trois d'entre elles partagent un nid et se relaient sur les œufs pour l'incubation.

Les mégapodidés sont polygames; chez la plupart des espèces, les mâles s'occupent des œufs qui viennent à éclosion dans des sortes de fours d'incubation.

croyable science, certaines espèces dépassent en beauté celle des paradisiers. La splendeur colorée et les formes étranges empruntées durant la saison des amours par les paons, les faisans dorés et les tragopans satyres sont inégalées!

Les dindons sauvages fournissent

de dindonneaux. L'illustration représente trois dindes sauvages et deux jeunes sous la conduite d'un mâle.

un exemple de vie conjugale typique des gallinacés. Leur habitat se situe dans les régions peu boisées du sud des Etats-Unis d'Amérique, mais ils en ont été pratiquement chassés.

Les mâles, qui n'atteignent leur maturité sexuelle qu'à l'âge de 2 ans – contrairement aux dindons domestiques qui peuvent déjà procréer à un an – occupent individuellement le territoire de parade nuptiale d'où ils lancent leurs glouglous; ils étalent leur plumage, font la roue, secouent les ailes, se donnant ainsi une apparence plus imposante. Les zones de peau nue et les caroncules autour de la tête et du cou enflent et se colorent de rouge vermillon et de bleu. Quand une femelle approche, le mâle ne lui prête apparemment pas la moindre attention. Il affecte un dédain absolu et la femelle doit littéralement se prosterner devant lui pour qu'il condescende à copuler.

Cependant, l'apparence est trompeuse. En vérité, elle retient toute son attention, même quand il semble se détourner d'elle. Si un rival tente de le supplanter, le dindon change brutalement d'attitude. Soudain, il s'efforce de paraître aussi terrifiant que possible. Parfois, il advient que l'intrus en-

gage le combat et il s'ensuit un duel sauvage, peu courant chez les animaux d'une même espèce. Dans un tel combat, il se peut même que l'un des adversaires périsse, mais, en règle générale, l'intrus accepte rapidement sa défaite. Il se jette à plat sur le sol et cette pose d'humilité lui épargne toute nouvelle attaque.

Après l'accouplement, la femelle quitte son partenaire; elle s'en va gratter le sol pour y creuser un trou, à l'abri d'un buisson; après l'avoir tapissé de fragments végétaux, elle y dépose de huit à vingt œufs qu'elle recouvre de feuillage quand elle part à la recherche de nourriture. Dès qu'ils ont quatorze jours, les poussins sont capables de voler, et ils suivent leur mère dans les arbres pour y passer la nuit. Les dindes ne dorment à terre que durant la période d'incubation; à toute autre époque, elles se perchent très haut, dès le crépuscule, comme les autres gallinacés des bois.

FIDÈLES AU-DELÀ DE LA MORT

La vie conjugale des oies est «exemplaire». Qu'elles couvent en communautés denses – comme les bernaches du Canada illustrées ici – ou que les couples s'isolent à la saison des amours, les deux partenaires demeurent généralement fidèles leur vie durant, et même au-delà de la mort.

L'accouplement des oies est un long processus au rituel compli-

Chez les oies, le mâle et la femelle demeurent fidèles des années durant, généralement jusqu'à la mort de l'un d'eux et parfois même au-delà, bien que de nombreuses espèces couvent au sein de colonies plutôt lâches et s'assemblent en immenses troupeaux en dehors de la saison des amours.

qué. Mais, au cours du temps, les couples, pris individuellement, simplifient la parade nuptiale – un vieux couple, à l'unisson depuis de nombreuses années, peut abandonner tout cérémonial ou même l'oublier. Quand une oie âgée meurt, le veuf n'est plus capable d'exécuter la parade nuptiale avec toute la débauche de gestes qu'elle comporte, et il ne peut donc plus contracter un nouveau mariage. Ainsi, la «fidélité au-delà de la mort» est une conséquence de l'«oubli» et ne doit pas être attribuée au deuil qui suit une perte douloureuse.

Alors que les malards abandonnent souvent leur épouse quand le temps est venu de couver et d'élever les petits, les jars surveillent leur partenaire sur le nid et l'aident à guider les oisons. Le cygne noir mâle – les cygnes sont apparentés aux oies – ainsi que les époux de diverses variétés de canards siffleurs participent même à la couvaison.

Les bernaches du Canada ont considérablement élargi leur territoire de reproduction, grâce à l'assistance de l'homme. Leur habitat initial s'étendait sur toute l'Amérique du Nord, mais, de nos jours, les bernaches sauvages du Canada peuvent être observées en Europe, notamment en Grande-de-Bretagne et en Scandinavie.

Les bernaches du Canada sont particulièrement sociables; elles vivent en communauté aussi dense que possible et, quand leurs oisons ont quelques semaines, elles les conduisent en troupeaux collectifs. Au sein de ces immenses colonies, les couples n'en demeurent pas moins unis et fidèles.

leur cas, on peut parler de « veuves joyeuses »!

Les don Juan se trouvent aussi parmi les corvidés, bien que la plupart des mâles fassent d'excellents pères qui s'accommodent d'une unique partenaire, tout au moins pour une saison. Certains poussent le dévouement jusqu'à partager la couvaison et se montrent infatigables dans leurs recherches de nourriture pour la nichée. Mais leurs proches parents, les paradisiers, n'ont aucun goût pour la monogamie et les soins exigés par les petits.

Butor étoilé

Les mâles, dont les resplendissantes couleurs relèguent au second plan les femelles au plumage terne, sont suspects de polygamie. Rares parmi eux sont ceux qui continuent à prêter la moindre attention à leur partenaire après l'impétueuse consommation du mariage et acceptent d'assumer un quelconque devoir paternel. Il s'agit presque toujours d'insatiables don Juan qui volent d'union en union. En comparaison, le malard se conduit infiniment plus « correctement »; il n'abandonne à son triste sort qu'une seule femelle après les noces...

La polygamie est plus fréquemment pratiquée chez les espèces anciennes dans l'évolution des oiseaux, mais il ne manque pas de séducteurs « peu scrupuleux » dans les familles plus récentes, chez les veuves, par exemple. Les femelles séduites et abandonnées de ces plocéidés savent tourner la difficulté; n'éprouvant aucun goût à assumer seules la construction du nid, la couvaison et l'éducation des petits, elles se débarrassent frauduleusement de leurs œufs dans d'autres nids, particulièrement ceux des estrildinés (bengalis, etc.). Dans

Troglodyte mignon

Cependant, les mâles au plumage neutre n'en sont pas pour autant les meilleurs époux. Le troglodyte mignon, par exemple, construit toute une série de nids, utilisant l'un d'eux pour séduire la première femelle qui succombe à son chant, étonnamment puissant à la saison des amours. Dès que celle-ci a tapissé le nid, qu'elle s'y est installée pour couver, son seigneur et maître est généralement déjà à la recherche d'une autre compagne de jeu qui échangera sa vertu contre l'une de ces délicieuses petites maisons sphériques...

Le chevalier combattant est un oiseau étonnant sous maints rapports. Il appartient à la famille des charadriidés qui groupe la majeure partie des petits échassiers. Ceux-ci pratiquent généralement

Veuve de paradis

Chevalier combattant

Faisan doré

Ménure superbe

Paradisier papou

Prince-d'Orange

la monogamie et leur plumage ne varie guère d'un sexe à l'autre; parmi eux, citons le bécasseau de Temming dont la femelle dépose successivement deux couvées dont l'une est assurée par le mâle. Le chevalier combattant n'a rien d'un tel père de famille. A l'instar de nombreux gallinacés, il rejoint au printemps une coterie de mâles sur des emplacements de tournoi, des prés inondés, qui servent chaque année à de tels rassemblements. Là, il exhibe son plumage et sa grande collerette érectile, absolument unique chez les oiseaux. Elle offre des gammes de couleurs extraordinaires, et il est rare que l'on trouve deux mâles au plumage identique. Ainsi parés, ces combattants se produisent dans de féroces tournois, en réalité inoffensifs. Au cours des entractes, les femelles s'approchent des chevaliers accroupis et leur lancent des invites en leur becquetant doucement la collerette. Le comportement passif de ces guerriers explique peut-être pourquoi les femelles ne sont guère plus fidèles que leurs séducteurs.

LE TISSERIN:
MAÎTRE ARCHITECTE
ET SÉDUCTEUR

Nous avons déjà vu que le troglodyte mignon pouvait être considéré comme un coureur de jupons assorti d'un bon travailleur, puisque, en fin de compte, il procure à ses conquêtes un nid prêt à être occupé. De nombreux plocéidés et la plupart des 68 espèces de «tisserins véritables» agissent de même.

Devant les nids de foin négligés des moineaux domestiques, il est difficile d'imaginer qu'ils sont dus aux proches parents des meilleurs architectes de la gent plumée, mais, sous d'autres rapports, les plocéidés ont beaucoup en commun. Véritables vagabonds, nombre de tisserins papillonnent dans la campagne en bandes de bruyants pillards, et ils s'installent sans cérémonie au cœur des villages. Avec le même mélange d'impudence et de prudence, ils se précipitent sur les ordures et chapardent toute nourriture laissée à leur portée.

L'instinct grégaire des tisserins les pousse à se rassembler, même à la période des amours. Certains établissent leurs colonies de reproduction dans les arbres, sur les toits, d'autres parmi les roseaux et les papyrus. Plus de deux cents nids peuvent être construits à proximité immédiate les uns des autres, d'où une activité débordante.

Une étonnante construction est commencée par les mâles. Tout d'abord, ils forment un anneau en entrelaçant des fibres végétales, puis ils tissent une chambre d'incubation en forme de bourse, laissant une ouverture circulaire à la partie inférieure; certains relient à celle-ci une entrée tubulaire de longueur variable. Quand le gros œuvre est terminé, l'architecte se laisse pendre, tête en bas, à la sortie du nid, essayant de séduire une femelle par ses pépiements et ses battements d'aile. Si elle est encore libre, elle inspectera le nid et donnera rapidement son consentement, puis elle confectionnera la douillette tapisserie intérieure qui lui incombe. Se refusant à couver et à nourrir les petits, l'époux à court terme s'en ira construire un nouveau nid destiné à sa prochaine épouse.

La plupart des tisserins mâles peuvent être considérés comme des don Juan, mais ils n'en mettent pas moins à la disposition de chaque femelle séduite un nid habilement construit. De nombreuses espèces couvent en colonies qui comptent parfois deux cents nids.

Coutumes Matrimoniales

La classification suivante des 26 ordres d'oiseaux est conforme au système le plus récent, établi en 1968 pour «Grzimeks Tierleben», vol. 7-9.

Ordres	Nombre	Coutumes Matrimoniales	Ordres	Nombre	Coutumes Matrimoniales
Tinamous	43		Charadrii-formes	334	
Ratites	10		Columbiformes	318	
Podicipédi-formes	9		Psittaciformes	326	
Gaviiformes	4		Cuculiformes	146	
Sphénisciformes	18		Strigiformes	144	
Procellari-iformes	92		Caprimulgi-formes	96	
Pélécaniformes	54		Apodiformes	77	
Ciconiiformes	115		Trochiliformes	321	
Flamants	5		Coliiformes	6	
Ansériformes	151		Trogoniformes	34	
Falconiformes	291		Coraciadi-formes	190	
Galliformes	263		Piciformes	383	
Gruiformes	199		Passériformes	5118	

Note explicative relative à la table des coutumes matrimoniales

Monogamie – vert

La forme d'union la plus souvent adoptée. Dans chaque ordre d'oiseaux, nous comptons au moins quelques espèces qui pratiquent la monogamie, ne serait-ce que pour un court laps de temps. Les tinamous constituent peut-être la seule exception à cette règle – chez eux, quelques rares mâles monogames peuvent avoir des femelles qui, elles, pratiquent la polygamie.

Polygamie – rouge

La polygamie est la forme d'union la plus courante chez les gallinacés – mais elle compte aussi des adeptes parmi un tiers environ des autres ordres. Les unions, généralement brèves, sont dissoutes avant la ponte. La polygamie est aussi pratiquée chez la plupart des espèces polyandres.

Unions brèves (dissoutes avant la ponte) – jaune

Dans ce cas, on peut difficilement parler de mariage, puisque les partenaires se réunissent seulement pour la parade nuptiale, suivie de la copulation et d'une séparation immédiate. Bien que de nombreux canards s'assemblent en couple à l'automne, la copulation n'interviendra qu'au printemps et les partenaires se sépareront au moment de la ponte.

Mariage pour une seule saison de reproduction – bleu

Avec la monogamie, l'union pour une seule saison est la forme matrimoniale la plus fréquente. Les tinamous constituent probablement le seul ordre chez lequel elle n'ait pas cours. Chez les ratites, elle n'est pratiquée que par l'autruche, dans une curieuse variante de polygamie, où une seule favorite est la vraie épouse.

Mariage à vie ou pour de nombreuses années – blanc

Il est possible que cette forme d'union soit plus fréquente que nous ne le supposons. Il est difficile de la déterminer avec précision surtout chez les petits oiseaux ou ceux qui font preuve d'instinct grégaire, tout comme chez les nombreuses espèces qui se forment en grands vols en dehors de la saison de reproduction.

Les coutumes matrimoniales des oiseaux peuvent être classées sous les rubriques de la polygamie, de la monogamie, de l'union temporaire ou permanente. Le mariage temporaire peut être subdivisé en union brève, dissoute avant la ponte ; en mariage saisonnier où le couple demeure uni jusqu'à ce que les jeunes soient élevés. Cet état de choses donne lieu à d'innombrables variantes et combinaisons : monogamie temporaire, monogamie permanente, polygamie temporaire...

Polyandrie

Ainsi que nous l'avons vu, la polygamie est une forme matrimoniale fort répandue chez les oiseaux. La polyandrie est aussi parfois pratiquée, mais, dans ce cas, on ne peut parler de mariage, car « l'union » ne dure qu'un court laps de temps et se limite généralement à la parade nuptiale et à la copulation.

La polyandrie n'est évidemment pas pratiquée unilatéralement. Les mâles de ces espèces ne peuvent se satisfaire d'une seule compagne de jeu. Ainsi, une femelle coucou se laisse séduire ici et là par différents mâles ; à son tour, le mâle coucou fera une cour pressante à toutes les femelles qu'il pourra attirer sur son territoire !

La vie conjugale du tinamou est très semblable. Il s'agit d'un très ancien et curieux ordre apparenté aux ratites auxquels se rattachent l'autruche et le nandou américain. Les particularités anatomiques des tinamous leur ont valu d'être classés dans un ordre à part, en tête de liste, avant même les ratites, puisqu'ils sont considérés comme les ancêtres de ces derniers. Ils sont aptes au vol, quoique peu doués. Cela n'est pas pour nous surprendre, puisque nous savons que les ratites, incapables de voler, descendent d'oiseaux aptes au vol, tout comme les sphéniciformes (manchots). Quant au mariage des tinamous, il rappelle aussi celui des ratites, puisque la couvaison est assurée par le mâle. Certes, l'autruche mâle est généralement assistée dans cette tâche par sa favorite, mais, chez les émeus, les casoars et les nandous américains, le soin des œufs et des rejetons incombe exclusivement au mâle.
Quand un mâle tinamou est d'humeur à s'accoupler, il attire les femelles sur son territoire par ses appels ; son cri est doux, mélodique, souvent très mélancolique. De temps à autre, une femelle s'approche et, rectrices dressées, ailes tombantes, elle acceptera la pariade et la copulation. Après quoi elle s'en ira immédiatement pour rendre visite à d'autres mâles du voisinage. Dès qu'elle est prête à pondre, elle répond à l'invite d'un quelconque mâle auquel elle abandonne son premier œuf avant de repartir. Elle recom-

mencera son manège auprès du premier venu pour son deuxième œuf, et ainsi de suite. Chaque mâle reçoit donc une couvée, pondue par différentes femelles, dont il s'occupera seul.

Les œufs des tinamous sont les plus beaux qui soient. D'un ton noisette, rouge bourgogne ou pourpre, vert ou bleu, suivant les espèces, ils semblent avoir été laqués tant ils brillent. Le mâle n'abandonne le nid qu'une fois par jour et très brièvement pour rechercher sa nourriture. Certains laissent leurs œufs à découvert, tandis que d'autres les recouvrent de feuilles, avec plus ou moins de bonheur.

Ce comportement est courant chez la plupart des tinamous, mais il existe certains mâles qui n'acceptent de se charger que d'un seul œuf; d'autres encore semblent couver tous les œufs d'une seule femelle, soit de quatre à neuf.

On trouve chez les oiseaux une forme parfaite de polyandrie que pratiquent les jacanidés, une famille dont l'apparence et le mode de vie rappellent ceux des rallidés. Tous les jacanas ont sans doute un comportement similaire – celui du jacana à longue queue a été soigneusement observé. Le mâle jacana à longue queue construit un nid flottant à la saison des amours; la femelle lui rend alors visite et, en l'espace d'une dizaine de jours, dépose quatre œufs dans le nid que le mâle couvera seul et avec dévotion. La « perfide » compagne part à la recherche d'un autre propriétaire de nid avec qui elle célébrera ses noces qui seront « bénies » par quatre nouveaux œufs. Souvent, ce processus est répété à deux reprises. Chaque femelle compte en général de deux à quatre mâles; elle se montre si « ardente » qu'elle n'attend pas que son premier époux ait élevé les petits pour déposer quatre nouveaux œufs dans son nid. Ses autres maris ne sont pas mieux lotis. Ainsi, la femelle pondra fréquemment huit fois quatre œufs en une seule saison!

FOYER PERMANENT POUR DEUX

Authentiques oiseaux de mer, les pétrels-tempête, apparentés aux albatros, nichent dans des trous qu'ils creusent dans la terre ou à l'abri de cavités rocheuses.

Il est intéressant de noter que les jeunes pétrels-tempête occupent une cavité de reproduction dès l'âge de 2 ans, alors qu'ils ne sont capables de procréer qu'à partir de 3 ans et même souvent plus tard. Cependant, en règle générale, cette même cavité les voit revenir chaque année. Ils se trouveront parfois à des milliers de kilomètres de leur point d'attache, mais ils y reviendront à la saison des amours, et chaque couple retrouvera son foyer sans la moindre erreur.

Les deux partenaires couvent alternativement l'unique œuf. Certaines espèces restent sur le nid plusieurs jours d'affilée; l'oiseau est alors nourri par son compagnon ou sa compagne. La relève intervient généralement à la faveur de la nuit. Par la suite, les deux parents prennent soin du jeune, totalement impuissant, souvent aveugle, qui éclôt après trois semaines d'incubation. Ils l'alimentent d'un liquide huileux, extrêmement nourrissant. Au bout de sept semaines, l'oisillon pèse à peu près le double de ses parents qui, à ce stade, l'abandonnent. Pendant près de deux semaines, il doit vivre sur ses réserves de graisse et perd ainsi la moitié de son poids. Au cours de cette période, ses ailes deviennent capables de le soutenir en vol. Au moment où il quitte le nid, il peut sillonner les airs sans le moindre apprentissage préalable.

L'INCUBATEUR TIENT LIEU DE FAMILLE

Les mégapodes ont une manière bien à eux de perpétuer leur espèce.

Douze espèces de ces gallinacés vivent en Nouvelle-Guinée, en Australie et dans les îles avoisinantes. Chez elles, le mariage n'a pas cours. C'est également le cas pour de nombreux oiseaux qui se reproduisent au sol. Le soin des jeunes n'exige que peu de travail et il peut être aisément accompli par l'un des parents; il s'ensuit que toute forme d'union est superflue. Les poussins des mégapodes, particulièrement précoces et indépendants, partent le premier jour à la recherche de

nourriture et assurent seuls leur sécurité. Mais, chez la plupart de ces oiseaux, l'incubation exige un effort qui pourrait justifier une vie communautaire. Ils confient leurs œufs à la chaleur du sol, comme les reptiles, mais, dans le cas des oiseaux, cette méthode se révèle extrêmement compliquée. Le mégapode de Freycinet accomplit sa tâche avec une aisance et une sécurité relatives. Son principal habitat est situé dans les îles Salomon, de formation géologique très récente. À l'époque des amours, le mégapode de Freycinet cherche un endroit sablonneux, encore imprégné de la chaleur souterraine, et il enterre ses œufs à une profondeur pouvant aller jusqu'à un mètre. Son sens précis de la température propre à l'incubation, environ 33 degrés, lui désigne le lieu propice pour y déposer ses œufs; après quoi il les recouvre et les abandonne à leur destin. Une grande proportion des embryons se développe sans autre attention de la part des parents. Les lieux de ponte les plus recherchés semblent se situer dans le voisinage des sources d'eau chaude où la température et le degré hygrométrique voulus se trouvent près de la surface du sol, ce qui réduit le travail de terrassement.

Au cas où les mégapodes de Freycinet ne parviennent pas à trouver un endroit favorable, ils construisent un four d'incubation. Ils édifient des monticules qui peuvent atteindre 12 mètres de diamètre et 5 mètres de haut, ce qui en fait les plus grands nids qui soient. Dans les régions aux forêts denses, ces tumulus sont faits de débris végétaux dont la décomposition fournit la chaleur. En terrain découvert, le nid est essentiellement constitué de sable et la chaleur nécessaire est procurée par le soleil.

L'aepypodius construit son four d'incubation dans les épaisses forêts de la Nouvelle-Guinée. Il lui faut se passer de la chaleur volcanique ou solaire et ne compter que sur la source thermique de la fermentation. Les réalisations de cet oiseau tiennent du fantastique.

À l'aide de ses puissantes pattes, le mâle amoncelle un tas de feuilles de près de trois mètres de diamètre. Son tumulus achevé, l'oiseau demeure à proximité. Quotidiennement, il y creuse des galeries pour s'assurer que l'humidité due à la pluie pénètre jusqu'au sol. Ainsi, une fermentation intense, produisant une haute température, prend possession de l'humus. A ce stade, le degré thermique serait beaucoup trop élevé pour les œufs. Lorsqu'il est retombé, le mâle autorise sa compagne à s'approcher du nid pour y pondre. La tâche de la femelle est achevée; celle du mâle ne fait que commencer. Constamment, il incorpore de nouveaux feuillages au tumulus, de façon que la fermentation continue maintienne une température constante. Il s'assure de celle-ci en creusant des galeries dans l'humus; il y enfonce la tête et ouvre le bec. Les zones sensibles à la chaleur sont probablement situées sur la langue et le palais, mais nous ne pouvons l'affirmer en toute certitude. Presque tous les mégapodes vivent à proximité de l'équateur où ils trouvent une température constante et assez élevée qui les aide dans leur entreprise. Mais l'un des membres de cette famille, le leipoa ocellé, a son habitat au sud-ouest de l'Australie, région qui enregistre non seulement des fluctuations saisonnières considérables, mais aussi des différences de température pouvant atteindre 22 degrés en 24 heures. Dans le cas présent, la chaleur de la fermentation serait vivement appréciée, mais le leipoa est incapable de la produire à l'aide de fragments végétaux; seules quelques rares feuilles se trouvent dans cette région semi-désertique et les faibles précipitations pluvieuses de l'été ne pourraient occasionner la décomposition du feuillage laborieusement entassé, d'autant que les vents fréquents assécheraient le tumulus. Afin de résoudre ce problème, le mâle leipoa ocellé doit se livrer à un labeur forcené, inégalé chez les autres oiseaux. En automne, il commence la construction de son incubateur en creusant une fosse d'environ deux mètres de diamètre sur un mètre de profondeur. Quand il en a fini, les premières pluies d'hiver commencent à tomber; en hâte, il ramasse feuilles et branchages secs dans un rayon de 50 mètres et en remplit la fosse. Afin de retenir l'humidité due aux rares averses, il comble l'excavation avec de la terre sablonneuse dont il se sert aussi pour coiffer l'ensemble d'un monticule pouvant dépasser un mètre de haut sur cinq de diamètre. Durant son travail, il doit tenir à distance les autres mâles, car il a

besoin de tous les matériaux et de la nourriture qu'offre son territoire.

Enfin, après environ quatre mois, le four d'incubation est achevé. L'indispensable chaleur de fermentation a été obtenue au plus bas de la fosse, et la femelle peut commencer à pondre. Mais au lieu de déposer ses œufs toutes les 24 heures, comme la plupart des oiseaux, elle vient à des intervalles allant de cinq jours à plus de quinze; à ce rythme, elle dépose environ trente œufs par saison de reproduction. Sept mois peuvent s'écouler entre la première ponte et l'éclosion du dernier poussin, et, pendant tout ce temps, le mâle condamné aux travaux forcés poursuit une tâche ardue. Il gratte dans son tumulus environ cinq heures par jour, s'assure de la température de la chambre d'incubation en y passant le bec et, selon le cas, augmente ou réduit la couche qui recouvre les œufs. Au printemps et en automne, la température extérieure demeure très inférieure au degré thermique nécessaire à l'incubation, mais, pendant une journée d'été, elle peut le dépasser de 7 à 8 degrés, ce qui oblige le mâle à compenser les écarts soit en amassant du sable chauffé par le soleil, soit en établissant des conduits de ventilation qu'il creuse dans son édifice.

Bien entendu, sur le plan pratique, la technique des mégapodidés peut paraître discutable, si l'on considère que le leipoa travaille onze mois de l'année pour obtenir le résultat que d'autres espèces atteignent en deux mois.

Mais peut-être est-ce là la raison même qui rend ce procédé d'incubation si stupéfiant.

VEUFS INTERMITTENTS ET COURAGEUX

Les manchots empereurs mènent une vie conjugale singulière. Ces grands oiseaux de l'Antarctique vivent parmi d'autres espèces spécialement aguerries au froid; mais alors que celles-ci profitent de la saison chaude pour la reproduction et l'éducation de leurs petits, le manchot empereur fait sa cour en plein automne austral, quand les jours raccourcissent. Il séduit sa partenaire en lui présentant ses tempes d'un beau jaune orange; si, pour les besoins de l'expérience, celles-ci sont

teintes en noir, il est voué au célibat. Quand les destructrices tempêtes hivernales se déchaînent et que la plupart des oiseaux ont émigré vers le nord à la recherche du printemps, la femelle du manchot empereur pond son œuf aux pieds de son mari qui, délicatement, le fait rouler et l'enveloppe dans la chaleur de son repli abdominal. Après quoi, ayant momentanément accompli son devoir, elle se dandine vers la mer, souvent très éloignée du lieu de reproduction. Pendant environ soixante-trois jours, de fin novembre au début février, dans l'interminable nuit polaire, les manchots mâles, blottis les uns contre les autres, défient les tempêtes de neige et l'atroce froid. Les femelles ne reviennent de la mer pour rejoindre les veufs provisoires qu'au moment de l'éclosion. Les mâles qui, entre-temps, ont perdu environ trois dixièmes de leur poids, peuvent retourner pêcher — en tenant compte de la saison des amours, ils ont jeûné trois mois sans interruption! A cinq mois, les jeunes étant sortis d'affaire, les adultes font face à la mue intégrale; ils perdent simultanément presque toutes leurs plumes, ce qui leur interdit d'entrer dans l'eau pendant six semaines et les force à un nouveau jeûne total qui a raison de leurs réserves de graisse.

PÈRE ATTENTIF EN HABIT DE GALA

Quand un mâle parade dans un resplendissant costume de noces devant une femelle au plumage terne, on peut prévoir qu'il ne s'inquiétera guère de ses rejetons. Mais, là encore, l'exception confirme la règle, notamment dans le cas du quetzal. Le mâle, à peu près de la taille d'une corneille, est doté d'un abdomen rouge vif alors que le reste de son plumage est d'un magnifique vert métallique. Les plumes, délicatement frangées, de son dos sont drapées latéralement sur ses ailes quand il est au repos. Sa queue forme une merveilleuse traîne qui peut atteindre plus d'un mètre de long. Le plumage du quetzal peut rivaliser avec celui des plus beaux faisans et des paradisiers; néanmoins, il collabore à la couvaison et aux soins des petits. Malgré son resplendissant plumage, il est monogame, tout au moins pour

Tout au long du jour
le couple de mouettes à queue fourchu
restera à proximité immédiate du ni
pour défendre l'œuf ou l'oisillo
contre les attaques des frégates
Leurs yeux immense
avaient toujours donné à pense
que ces oiseaux partaient de nui
à la recherche de leur nourriture
Cette supposition a été récemment confirmée
il s'agit d'un cas probablement unique
chez les laridés

une saison de reproduction ; mais, comme il niche dans les troncs d'arbre, il ne risque pas d'attirer l'attention par ses splendides couleurs. A la saison des amours, le quetzal et son épouse, infiniment moins colorée, partent à la recherche d'un tronc d'arbre pourri. Ils forent une cavité semblable à celle que prépare un pic de grande taille. Leur bec court se prêtant mal à ce travail, ils rongent le bois tendre, ce qui vaut à leur espèce le nom de trogons (rongeurs). La femelle dépose généralement deux œufs bleu clair dans la cavité nue ; ceux-ci sont quasi sphériques et de la taille d'une balle de ping-pong. Chaque matin et chaque après-midi, le mâle vient relever régulièrement son épouse et couve, sans se soucier de sa merveilleuse traîne qui, après peu de temps, prendra une apparence lamentable. Il faudra que le quetzal attende sa prochaine mue pour retrouver sa splendeur. Les petits brisent leur coquille après dix-huit jours d'incubation ; ils naissent nus et aveugles. Les deux parents les nourrissent pendant encore un mois, au début d'insectes et, par la suite, de petits vertébrés et de fruits.

FIDÈLES JUSQU'À LA MORT

Tout comme les oies et les grands perroquets qui vivent en couples au sein de grandes colonies des années durant, les grues demeurent fidèles et unies jusqu'à la mort.
Dès le début de l'année, les grues du Nord se sentent attirées par les zones de reproduction où elles arrivent parfois alors que le sol est encore recouvert de neige. Chaque couple se met en quête d'un emplacement propice pour le nid, lequel se trouve invariablement proche de celui de l'année précédente – cette règle reste valable, même si le couple a été dérangé au point de n'avoir pu mener à bien sa couvaison. Cette fidélité au foyer est peut-être l'une des raisons pour lesquelles les grues sont menacées d'extinction. Un tiers des quatorze espèces est déjà sérieusement en danger ; il ne reste qu'environ cinquante spécimens de la grande grue blanche américaine. Les mesures draconiennes prises pour leur préservation ont

déjà porté leurs fruits – en 1941, on ne comptait que dix-sept de ces merveilleux oiseaux blancs.
La grue couronnée est la seule espèce qui, occasionnellement, construit son aire dans un arbre ; toutes les autres couvent au sol. Certaines pondent leurs œufs, généralement deux, à même la terre, tandis que d'autres rassemblent de grandes masses végétales pour construire le nid.
Mari et femme partagent équitablement les devoirs de l'incubation. Le couple commence à couver dès que le premier œuf a été pondu ; le deuxième ne l'est que deux jours plus tard ; de ce fait, l'éclosion se produit à deux jours d'intervalle. Le poussin est apte à la marche dès sa naissance et, peu après que son frère a brisé sa coquille, le couple quitte le nid, escorté de sa progéniture. Les parents commencent alors leur mue. Tandis que la plupart des espèces ne perdent leurs rémiges que progressivement, ce qui leur permet de continuer à voler, les grues perdent les leurs en deux jours, ce qui les contraint à demeurer au sol pendant six semaines. Ce phénomène n'intervient qu'une année sur deux, alors que le restant du plumage est sujet à une mue annuelle.
Les ailes des jeunes atteignent leur plein développement à l'âge de dix semaines environ ; à ce moment, les parents sont aussi en mesure de voler. En automne, les grues du Nord se rassemblent en des points immuables avant de partir pour leur long voyage vers le sud, groupées en magnifiques formations en V qui s'accompagnent de grands cris destinés à maintenir la disposition de vol. Au sein même de la formation, la famille demeure unie. Au printemps, les enfants se séparent des parents, mais ils ne fondent eux-mêmes un foyer que lorsqu'ils ont atteint l'âge de 4 ans. Sous des conditions favorables, un mariage de grues peut durer jusqu'à cinquante ans !

RÔLES RENVERSÉS

Chez la plupart des espèces, les femelles assument la majeure partie de la couvaison et des soins aux petits ; certaines d'entre elles doivent même se passer de toute aide. En revanche, ainsi que nous l'avons déjà vu, les mâles de nombreuses espèces

couvent seuls et s'occupent de leur progéniture. Mais, chez aucun d'entre eux, les rôles n'ont été aussi totalement renversés que chez les phalaropes, élégante espèce à longues pattes, proche du pluvier, vivant dans les régions circumpolaires arctiques.

Chez la plupart des autres espèces, les mâles sont dotés d'un plumage plus coloré que les femelles. Ils arrivent les premiers sur les lieux de reproduction, après avoir quitté leurs quartiers d'hiver et, quand les femelles surviennent au bout de quelques jours, ils se montrent plus actifs que leurs compagnes.

La présence en quantité considérable d'hormones mâles dans les ovaires des femelles phalaropes explique le renversement de la situation en regard des règles générales. A la saison des amours, la femelle phalarope arbore un plumage infiniment plus coloré que celui du mâle ; elle arrive sur les lieux de reproduction plusieurs jours à l'avance. Le processus d'accouplement n'est pas moins curieux. Quand les mâles aux tons plutôt neutres se présentent, chaque femelle en choisit un et reste toujours à proximité de lui. Malheur à celle qui, encore libre, tentera de séduire un mâle déjà pris ! Elle subira les attaques coléreuses de l'épouse qui la repoussera brutalement, ainsi qu'il est de coutume chez les mâles. Dans la parade nuptiale, c'est à la femelle qu'incombe la tâche de séduire. Avec force contorsions, elle déposera ses quatre œufs, merveilleusement camouflés, dans une dépression sablonneuse. Ignominieusement abandonné par son épouse, le mâle s'accroupit sur la ponte avec docilité et couve. Le plantant là, la femelle part vraisemblablement à la recherche d'un autre mari, mais ce dernier point n'a pas été établi de façon absolue ; il expliquerait cependant le surplus de mâles qui existe chez les phalaropes.

LA FAMILLE DE L'OISEAU

Brisés sont les œufs
que l'oiseau
a couvés si patiemment !
La grande tâche
qui doit être
accomplie
change au fil
des heures.
Les becs béants
exigent impérieusement
la nourriture !

Quelle surprise doit éprouver l'oiseau en train de couver lorsqu'il sent soudain sous son corps une vie tendre et frémissante au lieu d'objets durs et immobiles ! Ou se peut-il qu'il s'y soit attendu ? Un ou deux jours avant d'éclore, les jeunes commencent à pépier à l'intérieur de leur coquille ; ce premier contact avec les parents, qui leur donnent la réplique, prépare peut-être ces derniers à affronter leurs nouvelles responsabilités. Ces appels étouffés éveillent probablement l'instinct nourricier des parents. On a observé des râles qui tentaient de nourrir les œufs d'où montait un pépiement !

Les tâches auxquelles les parents se trouvent confrontés après l'éclosion sont très variables. Dans le cas extrême des mégapodes, le problème est immédiatement résolu, puisque le jeune est indépendant dès le premier jour – il est même parfois capable de voler instantanément. Mais, chez la plupart des oiseaux, le soin des enfants incombe aux parents pour une période allant, suivant les cas, de douze jours à plusieurs mois.

Les nouveau-nés peuvent être classés en deux catégories : les nidifuges et les nidicoles. Les nidifuges sont capables de se tenir

sur leurs pattes dès le premier jour, avec plus ou moins d'aisance, mais tous, à l'exception des sphéniciformes, peuvent échapper au danger en marchant. Ils sont couverts d'un duvet protecteur, parfois tacheté, et, en général, ils n'ont pas à être nourris et picorent la nourriture que les parents leur désignent. Par

opposition, les nidicoles paraissent impuissants. Au moment de l'éclosion, la plupart d'entre eux sont nus et aveugles ; ils semblent n'être faits que d'un gros ventre, d'une tête démesurée et d'une gorge béante. Pourtant, il est intéressant de noter que, dans la plupart des espèces, les nidicoles accèdent à l'indépendance plus rapidement que les nidifuges.

Sphéniciformes, ratites, anséridés, gallinacés, gruiformes, charadriiformes, lariformes sont des nidifuges. Les nidicoles comprennent tous les oiseaux chanteurs, pics et corvidés, perroquets, columbidés, pélécanidés, albatros, pétrels... Certaines caractéristiques dans l'apparence et le comportement de ces deux catégories ne peuvent être clairement différenciées. Le critère absolu des nidifuges est leur capacité à couvrir des distances relativement importantes en courant ou en nageant dès la naissance – même s'ils ne s'y résolvent qu'en cas de danger.

Le berceau des petits pouillots repose à même le sol, mais il est parfaitement dissimulé par la végétation. La plupart des espèces nidicoles préfèrent bâtir leurs nids à l'abri des buissons et des arbres. Les troglodytes, comme la mésange bleue, bénéficient d'une protection particulièrement efficace.

LES PREMIERS PAS

Le poussin du foulque macroule s'aventure au bord du nid alors qu'il n'a que quelques heures. En cas de danger, il quitte son abri pour se cacher dans les roseaux.

L'un des parents entraîne à l'eau l'enfant de 24 heures, tandis que l'autre reste accroupi sur les œufs et réchauffe le jeune qui vient d'éclore.

Sous la protection de leurs parents, les poussins du foulque macroule entreprennent déjà des excursions relativement lointaines dans le voisinage, mais ils ne s'éloignent pas de la berge et de ses roseaux.

Bien qu'âgés de deux mois et presque de la taille de leurs parents, les enfants sont encore nourris de plantes aquatiques que père et mère vont chercher au fond de l'eau.

Sur les pages suivantes: La plupart des espèces nidicoles sont monogames. Père et mère s'occupent également de leur progéniture. Durant les trois ou quatre semaines qui suivent l'éclosion, le couple de hérons garde-bœuf surveille constamment les petits auxquels il procure chaleur et ombre (à droite). Les jeunes exigent des parents un effort incessant pour les approvisionner en insectes. A gauche: Presque en état de voler, l'insatiable jeune pic-épeiche attend au bord du nid l'arrivée de ses parents qui lui apportent sa ration de larves.

L'un des parents de la mouette à queue fourchue demeure constamment à proximité de l'oisillon, afin de le protéger de l'éprouvant soleil équatorial et des voraces frégates.

Les rallidés, parmi lesquels on compte la foulque macroule, et les laridés sont nidifuges; ils viennent au monde déjà couverts d'un duvet serré et sont capables de courir et de nager en quelques heures. Mais leur comportement leur a valu d'être classés dans une catégorie spéciale. En général, les râles ne quittent pas le nid avant deux ou trois jours et, après, ils y retournent constamment pour s'y reposer, s'y sécher et y être réchauffés. Les jeunes mouettes abandonnent le nid peu après leur naissance, mais elles restent à proximité jusqu'à ce qu'elles soient capables de voler, ce qui peut durer plusieurs semaines. La maigre végétation les protège, et elles en émergent promptement quand les parents viennent les nourrir. Les mouettes à queue fourchue des Galapagos doivent demeurer avec leur progéniture pendant un certain temps, car les lieux de reproduction, des rochers volcaniques dénudés, n'offrent pas la moindre protection végétale.

Par mauvais temps, les jeunes hirondelles de fenêtre implorent souvent en vain leur nourriture. Les parents ne peuvent happer les insectes qu'en vol et ceux-ci sont rares lors de précipitations. Une pluie continue peut causer la perte d'une nichée, à moins qu'elle ait la chance d'être abritée par une étable où les mouches abondent.

Une unique pensée
semble animer
ces créatures
aveugles et larvaires :
la faim.

Un gosier aux dimensions impressionnantes, un trou largement ouvert de couleurs vives aux arêtes débordantes ne donnent qu'une faible idée de ce que sera un bec d'oiseau. C'est pourtant là ce qui frappe le plus chez un oisillon qui vient d'éclore. Ce bec béant et un système digestif fonctionnant à une vitesse hallucinante revêtent une importance fondamentale – tous les autres éléments ne jouent momentanément qu'un rôle mineur et n'existent que sous

A peine remises des efforts de l'éclosion, les jeunes mésanges charbonnières ouvrent grand le bec dès qu'elles devinent l'arrivée des parents chargés de nourriture.

La vibration du nid de la grive musicienne, curieusement revêtu à l'intérieur d'un enduit argileux, alerte les jeunes qui ouvrent le bec.

plumes viendront orner la peau nue en un court laps de temps, métamorphosant cette chose plutôt lamentable, hideuse, en un charmant oiseau. Seules, les deux protubérances de la tête permettent de penser que deux yeux, au regard aigu, en sont au stade final de développement sous les paupières collées.

Le gosier béant du nouveau-né déclenche un puissant stimulus chez les parents. Ces becs ouverts produiraient une réaction sur des animaux dont l'acuité visuelle est moindre que celle des oiseaux. Les gosiers varient de couleurs suivant les espèces ; généralement, ils sont orangés ou rouges, avec des arêtes jaunes ou blanches. Certaines espèces présentent des dessins caractéristiques, tels que mouchetures noires, excroissances bleu vif ou rouges aux commissures du bec. D'autres, venant au monde dans des grottes, sont dotés de marques éclatantes, susceptibles de guider les parents dans l'obscurité ; certains possèdent même des points légèrement phosphorescents près du tranchant du bec.

Les parents réagissent promptement et avec une inlassable diligence à ces stimuli. Ils s'envolent,

une forme rudimentaire. Il est difficile d'imaginer que les ridicules appendices de ce petit corps se transformeront en deux ou trois semaines en ailes aptes au vol et en pattes capables de sautiller ; ou que des milliers de

happent une becquée de nourriture et reviennent gaver les gosiers quémandeurs. Ce manège continue toute la journée, presque sans interruption, avec plus d'intensité aux premières heures de la matinée et en fin d'après-midi. Chez les petites espèces, les parents peuvent revenir au nid une vingtaine de fois par heure; cette fréquence est parfois supérieure. Dans le cas de la mésange, on a observé jusqu'à 480 voyages en une seule journée!

une chute. A la fin de la deuxième journée, un oisillon peut peser deux fois son poids initial et, en deux semaines, celui-ci s'est multiplié par trente. Quand le jeune quitte le nid – ce qui se produit au bout de dix jours chez les oiseaux chanteurs nichant au sol, et au bout de treize chez les espèces ayant des nids haut perchés, tandis que les troglodytes, mieux protégés, n'abandonnent le leur qu'après trois semaines environ – il est souvent plus lourd que

Les petits pics verts, comme nombre d'autres oisillons, particulièrement chez les troglodytes, effectuent une rotation afin de se présenter à tour de rôle à l'entrée du nid pour être nourris; ainsi, aucun d'eux n'est oublié!

A l'occasion, il peut advenir qu'un oisillon chanteur vienne augmenter la ration d'insectes, de larves et de petits animaux d'un jeune geai. Mais celui-ci peut à son tour devenir la proie d'une corneille qui doit aussi nourrir une nichée affamée!

A ce rythme, il n'est pas étonnant que, en un très court laps de temps, le nid ne soit plus assez vaste pour abriter la couvée trop bien nourrie qui, dès lors, risque

ses parents, ce qui lui permet de surmonter les premiers jours maigres qui suivent généralement son accession à l'indépendance.

PORTRAITS D'ENFANTS

1 FOU À PIED BLEU
  (6 SEMAINES)
2 HIBOU MOYEN-DUC
3 CHOUETTE HULOTTE
4 FOU À PIED BLEU
  (3 SEMAINES)
5 AVOCETTE

1

2

6

7

8

6 FOU MASQUÉ
7 FRÉGATE
  (3 SEMAINES)
8 PÉLICAN BRUN
9 GRAND CORMORAN
10 BUSARD HARPAYE
11 MOUETTE A QUEUE
   FOURCHUE
12 BLONGIOS NAIN
13 CYGNE MUET
14 FRÉGATE
   (1 SEMAINE)
15 AIGRETTE GARZETTE
16 HÉRON POURPRÉ
17 ECHASSE BLANCHE
18 STERNE PIERRE-GARIN
19 MOUETTE TRIDACTYLE
20 HUITRIER PIE-DE-MER
21 LAGOPÈDE MUET

12   17 ▼

13   18 ▼

3

4

5

9

10

11

14   19 ▼

15   20 ▼

16   21 ▼

LA FAMILLE
AUX PIEDS BLEUS

Un douillet berceau
n'attend pas
chaque enfant oiseau.

Le fou à pied bleu se satisfait d'un nid consistant en une dépression du sol nu. Ses conceptions «spartiates» lui permettent d'élever sa famille sur des îlots désolés, et il ne perd pas un temps précieux à la recherche de matériaux pour son nid.

Quand les petits fous
viennent
au monde
entre les pieds palmés
et bleus
de leurs parents,
ils entrent
immédiatement en contact
avec la dure réalité
de la vie,
au creux de leur fosse
de terre...

Venant du large, un oiseau de grande taille, marron clair, volait vers l'île. Il se dirigeait droit sur moi, à vitesse élevée; au moment de l'atterrissage, alors que je m'attendais à le voir ralentir, il effectua une élongation brusque de ses grands pieds palmés d'un bleu éclatant, entra en contact brutal avec le sol rocailleux et se livra à un saut périlleux en émettant une sorte de croassement. Stupéfait, je me demandais comment porter assistance à ce fou sans doute blessé, quand il se ramassa sur lui-même et me regarda avec défiance, semblant me dire: «Qu'y a-t-il? C'est ma manière habituelle d'atterrir!» Puis, il se dandina vers une zone brunâtre, éloignée de quelques mètres; là, il lâcha tout autour des giclées d'excréments, regarda les deux œufs déposés dans une légère dépression, les retourna du bout du bec avec de tendres mouvements, étala sur eux son pied palmé comme une main protectrice et s'accroupit pour couver... Telle fut ma première rencontre avec un fou à pied bleu aux Galapagos. Bien entendu, cette espèce n'atterrit pas toujours de cette étrange façon. Par la suite, j'eus l'occasion d'observer plusieurs centaines de fous qui en-

traient normalement en contact avec le sol. Néanmoins, je demeure convaincu que le nom de ces oiseaux leur convient à merveille. La maladresse de leurs mouvements, les gestes lourds de leur pariade, leurs expressions faciales semblent empreints d'une stupeur quelque peu démente. C'est peut-être pourquoi rien ne saurait être plus agréable et plus

impressionnant qu'un long séjour dans une colonie de fous. Les jours passés à observer de nombreuses espèces d'oiseaux sur un minuscule îlot des Galapagos comptent parmi les plus heureux de ma vie – bien que des nuées d'imperceptibles moustiques aient mis tout en œuvre pour refroidir mon enthousiasme et que j'aie failli succomber à la soif, les pêcheurs n'étant venus me réapprovisionner en eau potable qu'au bout de huit jours et non de trois comme il était convenu!

Parmi les neuf variétés de fous, deux seulement ne couvent pas au sol, sauf dans des cas exceptionnels: le fou à pied rouge et le fou d'Abbott. Ils construisent leur rudimentaire plate-forme de couvaison dans les buissons. Seul le fou à pied bleu semble se contenter d'une vague dépression du sol, sans autre apport. En revanche, les futurs parents fous de Bassan ramassent de concert une grande quantité d'algues. Les fous masqués décorent leurs nids de petits galets. Les fous variés ou piqueros et les fous du Cap utilisent des débris flottants auxquels ils incorporent leurs propres excréments – le guano, si recherché par l'homme comme engrais.

La visite d'un aîné au nid voisin n'est manifeste-ment pas un simple geste amical; le plus âgé tire et secoue le petit par le bec, puis il va plus pro-fondément encore dans son gosier, l'obligeant à régurgiter les aliments dont il va se repaître...

Les fous de Bassan, qui se repro-duisent dans les îles de l'Atlan-tique Nord, ne pondent qu'un œuf, alors que les espèces tropi-cales en produisent deux ou même trois. Les nids de fous à pied bleu qu'il m'a été donné d'observer contenaient deux œufs, tout comme ceux des piqueros, sur les côtes du Chili et du Pérou. Chez cette espèce, le nombre d'œufs est fonction de la rareté des plaques incubatrices, ces par-ties de peau dénudée à la tempé-rature plus élevée, qui entrent en contact avec l'œuf pour la cou-vaison. C'est la raison qui porte les fous à recouvrir les œufs de leurs pieds palmés avant de s'ac-croupir sur le nid.

Le comportement du fou à pied bleu des Galapagos est pour le moins curieux. Alors que leurs parents nichant le long des côtes amènent à terme leurs deux pe-tits, les fous des Galapagos ne couvent que le temps nécessaire à l'éclosion du premier œuf; aban-donné, le deuxième est voué à la mort. Jamais, dans cet archipel, il ne m'a été donné d'observer des fous à pied bleu ayant deux petits. Sans doute, se sont-ils adaptés aux conditions de vie de ces îles, éloignées de plus de mille

kilomètres du continent. Les dangers y étant plus rares, les chances de survie des nichées sont plus grandes. Tout porte à croire que les fous pratiquent un con-trôle des naissances instinctif en

Les fous transportent le poisson destiné aux petits à l'intérieur de leur estomac. Pour obtenir ses aliments, l'oisillon doit enfoncer toute la tête dans le bec largement ouvert de l'adulte – spec-tacle d'autant plus surprenant que, malgré ses gestes véhéments, le jeune ne blesse pas de son bec le gosier ainsi «visité».

Quand il sort de sa coquille, le petit du fou, aveugle, nu, noir, est hideux. Après quelques jours, il ouvre les yeux et, au bout d'environ une semaine, il est recouvert d'un duvet neigeux. Le substantiel régime de poisson l'aide à se développer rapidement. Deux mois après l'éclosion, nanti de toutes ses plumes d'adolescent, il atteint la taille de ses parents mais est beaucoup plus lourd qu'eux. Dès ce moment, il est abandonné à lui-même. Pendant deux semaines, il reste à proximité du nid, mendiant en vain sa nourriture auprès d'autres membres de la colonie – et il perd du poids. A ce stade, il se lance enfin dans l'aventure et vole vers l'eau. Il lui faudra jeûner encore deux semaines, employées à la nage, avant d'être capable de prendre l'air et de pratiquer les vols en piqué qui vont de pair avec la technique de pêche pratiquée par sa famille.

abandonnant leur deuxième œuf ! Seule la méthode est inhabituelle – le contrôle des naissances étant en effet souvent pratiqué dans le règne animal. De nombreux mammifères donnent naissance à des portées plus fournies dans les années d'abondance. Certains oiseaux pondent une quantité variable d'œufs et, plus souvent encore, augmentent le nombre des couvées en une seule saison si les conditions locales – climat et réserves alimentaires – sont favorables. D'autres, comme le grèbe huppé, abandonnent une partie de leurs œufs. Mais, dans ce cas, la raison est différente. Les quatre ou cinq premiers-nés donnent tant de travail à leurs parents que ceux-ci n'ont tout simplement pas le temps de continuer à couver. Là, on ne saurait prétendre que les conditions locales entrent en ligne de compte.

Les frégates couvent dans les buissons, à proximité immédiate des fous à pied bleu. Ceux-ci doivent constamment se garder de ces prédateurs. Durant la première semaine, l'un des parents demeure en faction auprès du petit, ce qui parfois n'empêche pas l'un de ces grands oiseaux noirs d'enlever un poussin à la vitesse

de l'éclair, le happant au passage sous les yeux de ses parents dont les protestations demeurent vaines. La frégate pousse la cruauté jusqu'à lâcher plusieurs fois l'oisillon, le rattrapant au vol avant de le dévorer. Les fous adultes sont aussi fréquemment attaqués par leurs voisines quand ils regagnent le nid en revenant de la pêche ; il leur faut alors régurgiter le contenu de leur estomac pour s'alléger et être en mesure de manœuvrer plus aisément. C'est précisément là ce que recherchent les voleuses. Avant que le poisson régurgité ait le temps de toucher l'eau, ces merveilleux voiliers des mers le happent au vol. Lors de ces attaques, les fous sont souvent blessés ; s'ils se cassent une aile, ils sont condamnés à mourir de faim.

Le chemin de la réussite est semé d'embûches, même pour les fous. La pêche est un exercice difficile qui exige un long apprentissage. Alors que les jeunes cormorans continuent à se faire nourrir par leurs parents jusqu'à ce qu'ils soient devenus de parfaits plongeurs et passés maîtres dans l'art de chasser sous l'eau, les jeunes fous doivent subvenir eux-mêmes à leurs besoins, l'estomac vide.

Les cormorans cherchent leur proie en nageant à la surface et ils plongent pour s'en saisir. Leur plumage absorbe facilement l'eau; par ailleurs, leur poids spécifique est élevé et, en conséquence, ils s'enfoncent assez profondément – ce qui facilite leur plongée.

Il n'en va pas de même chez les fous. Comme les canards, ils flottent sur l'eau à la manière d'un bouchon. Leur plumage, imprégné de graisse, retient l'air

son plumage, ses ailes ne sont pas encore capables de le soutenir en vol: la graisse de l'enfance doit d'abord disparaître.

Quand, après des semaines de jeûne, le temps est venu pour le jeune fou de se lancer dans sa première tentative de pêche, il prend son vol, décollant instinctivement contre le vent; il patrouille à quatre ou cinq mètres d'altitude, cherchant une proie,

La vie familiale des fous nous paraît extrêmement plaisante et gaie. Les mouvements, très expressifs, de ces oiseaux qui leur servent à communiquer, sont encore renforcés par d'intenses manifestations sonores. Sous de nombreux rapports, le «langage» des fous nous rappelle celui des albatros que nous avons déjà eu l'occasion d'admirer.

Les pieds, d'un bleu resplendissant, semblent jouer un rôle important au moment de l'accouplement. Au cours de leur pariade, les fous exhibent cette séduisante particularité aussi ostensiblement que possible tandis qu'ils se dandinent, ailes soulevées et rejetées en arrière, queue dressée, échangeant parfois des courbettes du plus haut comique.

tout comme leurs sacs aériens et leurs os creux, de telle sorte qu'il leur est impossible d'effectuer des plongées depuis la surface.

Quand le jeune fou a atteint huit à dix semaines, les visites de ses parents, qui le ravitaillent en poissons, se font de plus en plus rares, puis cessent. Bien que l'oisillon soit déjà pourvu de tout

puis il replie les ailes pour plonger. Il faudrait que la chance soit avec lui pour qu'il parvienne à attraper un poisson de cette manière, car sa vitesse est infiniment trop réduite. Progressivement, il apprendra à voler plus haut et à exécuter son plongeon avec plus de détermination. Après quelques semaines maigres vouées

Sur les pages suivantes: Chez les fous, les parents partent individuellement à la recherche de nourriture. Il est donc très rare qu'ils se rencontrent à proximité du nid. Chaque fois que cela se produit, intervient un touchant cérémonial: ils tendent le cou l'un vers l'autre, entrechoquent légèrement leurs becs, tout en émettant des sortes de croassements qui paraissent exprimer une joie sans mélange.

L'un des parents demeure constamment à proximité du nid pour garder le jeune, le réchauffer durant les heures froides et le protéger, ailes déployées, de l'implacable soleil tropical. Au bout d'une dizaine de jours, le petit a tout son duvet et il est trop gros pour être la proie d'une frégate; la garde peut donc cesser. S'il est laissé seul, le jeune quitte le nid dès le premier jour, à la recherche d'un peu d'ombre.

Bientôt, le jeune fou entreprendra des expéditions étendues dans le voisinage, mendiant de la nourriture à tous les adultes qu'il rencontrera; ceux-ci semblent reconnaître parfaitement leur progéniture et, en règle générale, se refusent à nourrir un étranger. Les propres parents du jeune fou lui inculqueront d'ailleurs des ferments de patience en lissant longuement leur plumage avant de régurgiter le poisson.

à l'apprentissage, il n'aura plus rien à envier à ses parents. Se laissant tomber comme une pierre, il crèvera la surface de l'eau, poursuivra le poisson avec des mouvements d'ailes et de pattes simultanés – à une profondeur de 20 mètres si besoin est – et il aura englouti sa proie avant même de refaire surface.

Sa boîte crânienne, particulièrement résistante, ainsi que ses sacs aériens lui permettent de supporter sans dommage le choc qui se produit au contact de l'eau. Par ailleurs, les arêtes en dents de scie de son puissant bec ont raison de la proie la plus lisse, la plus visqueuse.

LE RÔLE PRIMORDIAL DU CAMOUFLAGE

La vie et la mort des oisillons sont souvent subordonnées à leur camouflage. A l'éclosion, les petits sont la plupart du temps recouverts de duvet tacheté.

Grues, canards et autres oiseaux emmènent leur progéniture pour la dissimuler en cas de danger. Mais de nombreuses espèces prennent l'air quand un ennemi survient et lancent des cris stridents pour avertir de la menace; les petits s'aplatissent alors instinctivement contre le sol et demeurent rigoureusement immobiles tant que le danger subsiste. Ils se confondent si bien avec leur environnement qu'il est presque impossible de les discerner.

La coloration des oisillons d'une espèce donnée est généralement fonction de son habitat. Les jeunes râles, par exemple, sont très foncés, certains même presque noirs, et ils se confondent remarquablement avec les ombres denses de la végétation marécageuse. Les petits ptéroclididés (gangas), qui vivent dans le désert, sont de couleur sable. Les jeunes sternes présentent des colorations semblables à la gamme gris-brun des galets.

Problèmes d'éducation familiale

Un oiseau est prêt à tout pour sa progéniture

Les plongeons se reproduisent près des lacs et mares des régions circumpolaires de l'hémisphère nord. Ils recherchent un îlot pour y construire un nid rudimentaire à proximité de la grève. Alors que les couples de grèbes couvent alternativement, recouvrant leurs œufs – de quatre à sept – pendant leur absence, la femelle plongeon ne pond que deux œufs. Elle les réchauffe seule et les laisse à découvert quand elle part à la recherche de nourriture. L'éclosion intervient au bout de 28 jours et les jeunes quittent le nid dès le deuxième jour. D'emblée, ils se montrent d'excellents nageurs et, lorsqu'ils ont trois jours, ils sont déjà capables d'échapper au danger en plongeant, mais un certain temps devra s'écouler avant qu'ils puissent trouver leur pâture seuls. La nourriture, qui au début consiste en insectes aquatiques et plus tard en petits poissons, leur est procurée par les parents jusqu'à l'automne. Durant cette période, il se peut que le poisson du territoire de reproduction devienne rare; dans ce cas, les parents s'envolent vers un autre point d'eau pour s'y ravitailler et reviennent alimenter leurs petits. Dès qu'ils ont pris de l'altitude, les plongeons sont capables d'effectuer des vols rapides et soutenus, mais chaque décollage exige de leur part un effort considérable: battant l'eau, il leur faut couvrir une distance de 50 à 200 mètres pour prendre leur essor et, ensuite, un kilomètre pour s'élever de 20 mètres. Mais que ne ferait pas un oiseau pour ses petits...

Transport de l'eau conforme à la légende

La plupart des ptéroclidiformes vivent dans le désert. Par la taille, l'apparence et les habitudes, ils rappellent les pigeons, mais en diffèrent par diverses caractéristiques anatomiques, principalement par le fait que les jeunes naissent couverts de duvet et sont capables de picorer dès leurs premiers jours.

L'une des caractéristiques les plus remarquables des ptéroclidiformes réside dans le fait que les lieux leur procurant la nourriture se trouvent à une distance considérable des points d'eau. Chaque jour, à la même heure, avec une étonnante ponctualité, ils s'envolent en groupes pour se désaltérer. Vivant essentiellement de graines, ils ne peuvent satisfaire par la nourriture leur besoin de liquide.

Une simple dépression dans le sable contient deux ou trois œufs bien camouflés. Elle se trouve parfois à 20, 30 kilomètres et même davantage du point d'eau. En dépit de l'indépendance dont les poussins font preuve, ils sont encore incapables de couvrir une telle distance, mais ils ne peuvent pas non plus se passer d'eau; il faut donc que le liquide indispensable leur soit fourni.

Depuis longtemps, on soutenait que les parents apportaient l'eau aux petits dans leur plumage. Sceptiques, certains savants ont réfuté ces assertions qui leur paraissaient par trop fantaisistes, supposant que le jabot de ces oiseaux servait de réservoir. Mais deux chercheurs ont récemment dû se rendre à l'évidence; la vieille croyance ne relevait pas de la fable: les ptéroclidés mâles transportent l'eau destinée aux jeunes dans leur plumage. Pour ce faire, ils barbotent sur de hauts fonds, ébouriffant les plumes de leur abdomen qu'ils humidifient par des frottements répétés. Après quoi ils s'envolent pour aller désaltérer leur progéniture. De retour au nid, ils se dressent devant les petits qui, becs tendus, happent les gouttes d'eau...

Il reste à résoudre une énigme: comment le mâle parvient-il à emmagasiner l'eau dans son plumage abdominal de telle manière qu'elle ne se perde ni ne s'évapore en vol?

Mesures défensives efficaces

Quand un couple de huppes ordinaires désire fonder une famille, il se met en quête d'un creux d'arbre, d'une crevasse dans le roc ou d'une autre cavité analogue. Cette protection doit lui paraître insuffisante, car il tient en réserve une arme défensive aussi étonnante qu'efficace.

Les œufs à peine colorés (huit au maximum) sont couvés par la seule femelle tandis que les soins de la nourriture – larves, vers, insectes – incombent à son époux qui vient ponctuellement la ravitailler. Même après l'éclosion, qui a lieu le seizième jour, la mère demeure au nid. Le courageux père doit nourrir sa femme et sa nichée pendant encore une dizaine de jours. A ce moment, l'espace devenant probablement trop restreint, et le besoin de nourriture trop grand, son épouse part, elle aussi, à la chasse. Les petits peuvent sans crainte être abandonnés à eux-mêmes. Si un intrus s'avisait de se présenter à l'entrée de la cavité, il serait accueilli par un sifflement reptilien. A cet instant, une prompte retraite serait tout indiquée, sinon il risquerait de faire connaissance avec l'arme secrète des jeunes huppes. Présentant la partie postérieure de leur corps, les oisillons lanceraient une giclée d'excréments, avec autant de violence que de précision, au visage de l'importun. En même temps, la cavité dégagerait une odeur absolument pestilentielle.

Ces odeurs nauséabondes sont produites par les glandes uropygiennes, mais ce n'est que chez la huppe couveuse et les jeunes que cette sécrétion huileuse, généralement destinée aux soins du plumage, dégage une telle puanteur. On sait peu de chose sur l'efficacité réelle de cette odeur fétide, mais il est certain que les chats se retirent immédiatement et avec dégoût dès qu'ils l'ont reniflée, et il est probable que l'appétit des autres prédateurs pour les jeunes huppes soit, devant cette pestilence, rapidement coupé.

L'AUDACIEUX PREMIER PAS

Les petits guillemots voient le jour sur des plateaux rocheux ou sur de minuscules projections des falaises battues par l'océan Glacial Arctique. Ils émergent d'œufs posés sur le roc nu, mais,

étant piriformes, ceux-ci ne risquent pas la chute. Les coquilles portent des marques qui varient considérablement d'un œuf à l'autre, et nous savons que les parents sont capables d'identifier leur ponte avec une étonnante précision.

Environ deux jours avant l'éclosion, les pépiements des petits alertent leurs parents, les préparant, ainsi que nous l'avons vu, au rude labeur qui les attend. Nidifuges, les petits guillemots viennent au monde couverts d'un duvet floconneux; ils ne tardent pas à tenter de courtes excursions, rendant visite à leurs innombrables voisins, mais ils ne quittent leur lieu de naissance qu'au bout de trois semaines environ. Ils adoptent alors une méthode des plus spectaculaires. Quand les parents estiment que le temps est venu pour les petits de faire connaissance avec la mer, leur élément, ils s'envolent vers l'eau et, de là, par leurs cris, incitent les jeunes à les rejoindre. Ces petits personnages, encore incapables de voler, d'un poids d'environ 200 grammes, soit le cinquième de celui de leurs parents, s'élancent avec audace du haut de la falaise, souvent d'une hauteur de 30 à 50 mètres. Fréquemment, ils heurtent des saillies rocheuses ou atterrissent durement sur la grève. Bien qu'il soit difficile de le croire, les blessures sont très rares. Ils sont encore si légers, d'une ossature si malléable, qu'ils se tirent de cette première expérience sans dommage et, sous peu, ils seront prêts à s'exercer à plonger et à pêcher.

D'autres oisillons se voient aussi contraints à effectuer des sauts périlleux pour aborder la vie, les petits de certains canards, les siffleurs, par exemple, qui, occasionnellement, viennent au monde dans le creux de troncs d'arbres très élevés. A peine âgés d'un ou deux jours, les jeunes s'élancent dans le vide, heurtent le sol et rebondissent comme de petites balles de caoutchouc.

LA SATIÉTÉ ENGENDRE LA NÉGLIGENCE

Nombre d'espèces se montrent capables de s'adapter aux changements de conditions de leur environnement en un temps étonnamment court. Cela est aisément démontré par les oiseaux qui ont appris à bénéficier des modifications que l'homme a apportées à la nature, ce qui leur permet parfois d'augmenter considérablement leur nombre et d'étendre leur habitat.

Ainsi, le pétrel glacial de l'Atlantique est-il parvenu à repousser la frontière méridionale de son territoire de reproduction d'Islande jusqu'au sud de l'Angleterre, et ce, en quelques années. Il a avancé d'environ vingt kilomètres par an, sans doute dans le sillage des chalutiers et des déchets de poissons rejetés par ces bateaux.

Le domaine du héron garde-bœuf s'est étendu de manière encore plus frappante. En 1963, j'ai surpris plusieurs de ces oiseaux près de vaches appartenant à des Indiens séminoles, dans les Everglades, en Floride. Je n'en croyais pas mes yeux. Nulle part, il n'était fait mention de l'existence de hérons garde-bœufs en Amérique du Nord. Ayant approfondi la question, je dus me rendre à l'évidence, aussi incroyable qu'elle fût. Au cours des dernières décennies, cet oiseau avait pu se multiplier considérablement en Afrique, son habitat d'origine, en raison de l'accroissement du bétail et de l'intensification de l'activité agricole. Alors qu'il lui avait autrefois fallu suivre les animaux sauvages pour trouver sa nourriture, il lui devenait plus aisé d'escorter les troupeaux domestiques. Vers 1930, l'immense continent africain parut sans doute trop petit aux hérons garde-bœufs. Un groupe de jeunes pionniers – plus enclins à tenter l'aventure que leurs aînés – dut suivre l'exemple de Christophe Colomb et traversa l'Atlantique pour atterrir en Amérique du Sud et s'y installer. Leur nouvel habitat leur donnant satisfaction, ces oiseaux se répandirent sur les terres septentrionales de l'Amérique du Sud, s'adaptant même au rude climat des Andes; puis ils gagnèrent l'Amérique centrale. Vers 1953, le premier de l'espèce fit son apparition en Amérique du Nord. Aujourd'hui, des myriades de hérons garde-bœufs hantent sans doute le Nouveau-Monde.

Durant ce temps, d'autre hérons garde-bœufs avaient gagné un autre continent, l'Australie, où le premier fut observé en 1948.

Un animal aussi «entreprenant» ne pouvait manquer d'attirer l'attention des chercheurs. Otto Koenig captura en Amérique du Nord plusieurs jeunes hérons garde-bœufs, qu'il emmena à la station de recherches de Wilhelminenberg, à Vienne, où il les laissa en liberté. Repris près de l'automne, ils furent placés dans un local chauffé et, au printemps suivant, dans une vaste volière extérieure. Alors intervint un événement surprenant: les premiers hérons garde-bœufs, âgés d'un an, arborèrent leur parure de noces, couleur cannelle. Or, chez ceux qui vivent en liberté, le plumage nuptial n'apparaît que la deuxième année et, jusque-là, ils sont généralement incapables de procréer. L'un des couples entreprit bientôt la construction du nid qui reçut les œufs, pondus à intervalles de 48 heures, et couvés alternativement par le père et la mère. Puis vinrent au monde les premiers hérons garde-bœufs nés en captivité.

Aussi spacieuse que puisse être une volière, ses conditions d'environnement ne peuvent être celles de la liberté. Les longues recherches, destinées à rassembler les matériaux du nid, sont réduites à quelques allées et venues, puisque tout est mis à la disposition des oiseaux. Cette abondance ne tarda pas à modifier le comportement des hérons garde-bœufs.

Dans la nature, les jeunes hérons partent seuls chercher leur nourriture et couvrent des distances de plus en plus grandes durant les fréquentes absences de leurs parents. Ainsi, ils apprennent à trouver leur pâture et deviennent peu à peu indépendants. Par ailleurs, leur instinct migrateur les incite à s'installer dans d'autres régions, ce qui leur fait éviter la consanguinité et ses désagréments. Ici, à Wilhelminenberg, les parents sont toujours présents, disposés à nourrir leurs petits chaque fois que ceux-ci le désirent. Les jeunes n'ont pas la moindre occasion de chercher leur indépendance, et ils restent auprès de leurs pa

rents. La famille n'éclata donc pas à la saison de reproduction et ce qui intervint alors ne pourrait se produire dans la nature: les mâles copulèrent avec toutes les femelles; la totalité des œufs, que tous les oiseaux voulurent couver, fut déposée dans un nid commun. Parfois, trois, quatre hérons se bousculaient pour réchauffer les œufs. Les jeunes, nés l'année précédente, continuaient à mendier la nourriture à leurs parents; après l'avoir obtenue, ils la remettaient à leur propre progéniture. La parade nuptiale, si compliquée auparavant, disparut peu à peu, devenant superflue puisque père, frère ou fils choisissait indifféremment la partenaire.

Au printemps suivant, la «négligence engendrée par la satiété» atteignit un stade encore plus avancé. Diverses familles se mêlèrent en une vaste colonie au sein de laquelle chaque mâle copulait avec n'importe quelle femelle. Les mœurs, strictement monogames du héron garde-bœuf, n'avaient plus cours; polygamie et polyandrie régnaient. Mais les perturbations causées par ce nouveau mode de vie devinrent encore plus évidentes avec la diminution constante du taux de natalité. L'activité fébrile entraînait une perte sans cesse croissante d'œufs et les jeunes étaient suralimentés ou supprimés.

Ici apparaît un indéniable parallèle avec l'évolution de l'homme due à la civilisation moderne. Exemple particulièrement instructif pour le chercheur en psychologie comparative.

Otto Koenig croit que, avec le temps, ces hérons garde-bœufs élaboreront de nouveaux systèmes d'adaptation qui correspondront à leur environnement modifié. Il serait intéressant de voir comment les pensionnaires de Wilhelminenberg résoudront ce problème que l'homme n'a, jusqu'ici, pas été capable de surmonter.

À L'INSTAR DES MAMMIFÈRES

La première alimentation que procurent les pigeons à leur progéniture représente un cas unique chez les oiseaux. Les petits, généralement deux par couvée, sont nourris avec du lait!

Pendant la couvaison, le pigeon adulte sécrète une hormone spéciale, la «prolactine», qui déclenche le processus de lactation chez les mammifères. Les muqueuses du jabot, considérablement enflées, sécrètent une substance épaisse dont la composition est très semblable au lait des mammifères, notamment à celui de la lapine.

Les jeunes pigeons, qui éclosent au bout de 18 jours, sont gauches, presque nus et aveugles. Pour obtenir la nourriture, il leur faut plonger le bec et une partie de la tête dans le gosier de l'un de leurs parents et aspirer le lait.

Il s'agit là d'une caractéristique propre aux pigeons. Adultes, ces derniers aspirent les liquides; seules, quelques rares espèces sont capables de se désaltérer de cette manière. Les oiseaux prélèvent généralement de l'eau avec leur bec, puis ils lèvent le cou pour laisser le liquide s'écouler dans leur gosier.

A ce régime exclusivement lacté, prodigué aux jeunes, succède peu à peu celui des granivores et, au bout d'une dizaine de jours, la curieuse source alimentaire initiale est tarie.

Ces oiseaux possèdent un avantage sur les mammifères; chez les pigeons, mâles et femelles produisent du lait.

TRANSPORT DE NOURRITURE RATIONNEL

De nombreux petits oiseaux chanteurs transportent d'incroyables quantités de chenilles, araignées, insectes ou larves dans leur bec. Ce type de proies animales n'autorise pas un transport rationnel. Néanmoins, cette dernière technique est recherchée par tous, car la voracité d'une couvée exige un grand nombre de vols, plus de deux cents chaque jour pour les petites espèces.

Mais comment un poisson visqueux peut-il être transporté? La méthode la plus simple consiste à avaler la proie, à la rapporter au nid dans l'estomac et à la régurgiter. Cette technique est pratiquée par nombre d'oiseaux pêcheurs: hérons, pélicans, fous, cormorans et autres.

Parmi les rapaces diurnes, les amateurs de poisson utilisent la méthode de transport propre à leur espèce : ils saisissent le poisson dans leurs serres, ce qui ne leur permet d'en apporter qu'un à la fois à leur aire, mais il s'agit généralement d'une proie d'une taille appréciable qui exigera un certain temps pour être digérée par leur progéniture.

Les sternes transportent leur pêche dans le bec. Là aussi, il s'agit d'un poisson relativement grand. Il n'est pas rare de voir émerger du bec d'un petit sterne la queue d'un poisson dont la tête a déjà été digérée.

Les guillemots apportent un à un de petits poissons à leur progéniture, ce qui les oblige à de constantes allées et venues jusqu'à ce que les jeunes quittent le nid.

Macareux-moines et petits pingouins ont une méthode particulièrement curieuse pour le transport de la nourriture. Ils saisissent plusieurs poissons par leur milieu, souvent dix ou douze à la fois, et repartent vers les lieux de reproduction, leurs proies pendant de chaque côté du bec comme des poils de barbe. On peut se demander comment l'oiseau réussit à attraper autant de poissons à la suite sans jamais en perdre. Or, il résout ce problème de la manière la plus simple : il maintient le poisson contre son palais à l'aide de sa langue, ce qui libère la partie inférieure de son bec pour la prochaine prise.

ENFANCE PROLONGÉE

Comme nous le savons déjà, les manchots empereurs couvent pendant l'hiver antarctique. Il faut environ cinq mois pour que les jeunes atteignent la taille de leurs parents et soient en mesure de pêcher seuls. Déjà, il s'agit là d'un cas d'enfance très prolongée ; la plupart des autres espèces se développent en un laps de temps beaucoup plus court. Mais les jeunes de leur plus proche parent, le manchot royal, exigent encore davantage.

Le manchot royal vit dans les régions subantarctiques. Il couve en été, alors que glaces et neiges ont fondu, mais le climat n'en est pas moins rude, et il doit protéger ses œufs contre le froid. Pour ce faire, il possède un repli cutané, une poche à couver au-dessus des pieds, analogue à celle des plus grandes espèces. Le manchot royal ne pond qu'un œuf que père et mère couvent alternativement. Au moment de la relève, ils se tiennent face à face, très proches, et font rouler avec soin l'œuf qui passe des pieds de l'un à ceux de l'autre. Le jeune éclôt au bout de deux mois et se voit littéralement gavé par ses parents. Il se développe rapidement et se constitue une importante réserve graisseuse ; celle-ci lui est nécessaire, car le long hiver austral s'annonce et, lorsqu'il s'installera, le jeune sera encore incapable de nager et de pêcher. Quand les tempêtes déferlent, les adultes entourent les petits, frileusement blottis les uns contre les autres, pour les protéger du vent. Avec la fin de l'automne, la nourriture se raréfie et les jeunes ne reçoivent qu'une ration de poisson tous les quinze jours. Même quand le retour du printemps autorisera un meilleur approvisionnement, les parents devront encore s'occuper d'eux jusqu'à ce qu'ils aient atteint un an, leur plumage ne leur offrant pas encore l'imperméabilité voulue pour aller à l'eau.

D'autres oiseaux, dont la progéniture exige des soins prolongés, tels que les albatros, ne couvent qu'une année sur deux. Le manchot royal parvient à procréer deux fois tous les trois ans – une année, au début de l'été, et un peu plus tard dans la saison, l'année suivante. Finalement, la troisième année, il prendra un repos bien gagné.

L'HOAZIN

L'archéoptéryx, oiseau fossile, possédait à l'extrémité des ailes des doigts mobiles, munis d'ongles crochus, qui lui servaient vraisemblablement à grimper aux arbres.

De nos jours encore, il existe des doigts rudimentaires en bout d'aile chez diverses espèces. Généralement, il s'agit d'appendices calcariformes, tels qu'on en trouve chez les vanneaux armés et les anhimidés. Chez la plupart des oiseaux, ces éperons ne remplissent plus la moindre fonction, alors que certains autres les utilisent en tant qu'armes; dans de très rares espèces, ils servent à grimper. L'hoazin d'Amérique du Sud est probablement le seul oiseau pour lequel ces doigts ont une importance vitale.

Le jeune, nu et hideux, vient au monde dans un nid surplombant l'eau. A peine âgé de quelques jours et encore dépourvu de plumage, il se laisse tomber à l'eau à l'approche d'un danger; il nage et plonge à l'aide de ses petites ailes et de ses pattes. Dès que la menace ne pèse plus, il remonte sur la berge. Là, il constituerait une proie facile s'il n'était capable de s'accrocher à une branche et, s'aidant des deux ergots pointus de ses ailes, il regagne «à quatre pattes» son nid, comme ses très lointains ancêtres l'ont probablement fait. Avec l'âge, les ongles crochus des ailes s'atrophient et cessent d'être fonctionnels.

UNE COLONIE DU PACIFIQUE

Beaucoup plus d'oiseaux se reproduisent le long des côtes péruviennes que dans toute autre partie du globe, et cela en raison du courant de Humboldt.

Ce courant froid prend naissance dans le Pacifique Sud, longe la côte ouest de l'Amérique du Sud, avant d'être dévié vers l'ouest à proximité de l'équateur et de se perdre dans le Pacifique Nord. Au large du Pérou, ce courant a une largeur de près de 200 kilomètres, une vitesse de 10 kilomètres/heure, et une température de 15 degrés, très inférieure aux 25 degrés des eaux avoisinantes.

Le courant de Humboldt, aux eaux fortement salines, charrie des quantités considérables de plancton, régime de base de gigantesques bancs de poissons. Ceux-ci, essentiellement des anchois, alimentent une foule d'oiseaux. On estime à douze millions d'individus les colonies qui nichent sur l'un des petits archipels du Pérou méridional, qui n'offre qu'un espace très réduit. Ces oiseaux pêchent environ 4800 tonnes de poisson chaque jour! Sans conteste, il s'agit là des oiseaux sauvages les plus précieux qui soient pour l'homme. Les courants charrient des ma-

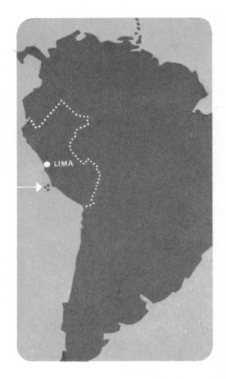

Des plates-formes, légèrement surélevées, construites sur des amoncellements d'excréments, servent de nids aux oiseaux à guano. Un attardé, jeune cormoran de Bougainville, attend ses parents tandis que ses camarades de la colonie, par centaines de mille, subviennent par eux-mêmes à leurs besoins.

tières phosphoriques qui remontent du fond vers la surface de l'océan. Par l'intermédiaire du plancton, des anchois et du tube digestif des oiseaux, ces phosphates sont déposés sur les lieux de reproduction sous forme d'excréments, le guano, systématiquement récolté et transporté dans le monde entier en tant qu'engrais fort apprécié, ce qui procure au Pérou l'une de ses plus importantes sources de revenus.

Le Nino, courant chaud de la région de Panama, dévie périodiquement le courant de Humboldt ou se superpose à lui à la fin de l'année. Tous les sept ans environ, ce courant nord-sud est particulièrement puissant et descend jusqu'au Chili. Ne pouvant résister à cette élévation de température, le plancton est détruit en majeure partie et les oiseaux en subissent le contrecoup; il en résulte un taux élevé de mortalité. Les plages sont couvertes d'oiseaux morts ou moribonds. Les trois quarts de la population peuvent ainsi périr. En deux ou trois ans, les survivants parviennent à compenser ces immenses pertes par une activité de reproduction accrue...

Les Incas avaient déjà compris,
il y a quelque mille ans, la valeur
des excréments d'oiseaux déposés
sur les îles. Les «fils du Soleil»
récoltaient le guano et s'en servaient pour fertiliser les terres.
La peine de mort était infligée
à quiconque tuait l'un de ces
précieux oiseaux ou se rendait
sur les îles à la période des
amours, compromettant ainsi la
reproduction.

Voici environ un siècle, lorsque
Américains du Nord, Européens
et Asiatiques découvrirent les
trésors amassés sur ces îles, ils
exploitèrent les gisements, dont
certains avaient quarante mètres
d'épaisseur, sans s'inquiéter des
périodes de reproduction ni des
œufs que le guano pouvait contenir. En moins de quarante ans,
des millions de tonnes furent
expédiées à travers le monde.

Seule, une fraction de la population initiale continuait à couver
sur les lieux d'exploitation quand
le gouvernement péruvien prit
enfin conscience de la situation et
institua des mesures protectrices.
Dès lors, les oiseaux se sont repro-
duits à une vitesse stupéfiante,
recouvrant de nouveau les plateaux de leurs excréments d'un
blanc crayeux... et rapportant à
l'Etat de fabuleux revenus.

OISEAUX POLAIRES SOUS LE SOLEIL TROPICAL

Les manchots se complaisent dans le froid. Les eaux glaciales de l'Antarctique constituent leur habitat d'origine. Ces petits personnages pansus défient aisément les tempêtes destructrices du long hiver polaire. En revanche, ils bénéficient d'une table somptueusement pourvue : l'extraordinaire abondance de poissons que recèlent les mers froides.

Presque tous sont demeurés fidèles à leurs terres ancestrales.

nuisement de leur taille; évoluant vers une nouvelle espèce, ils ne mesurent plus que de 40 à 65 centimètres de haut, alors que la majorité des autres oscillent entre 70 et 115 centimètres.

Voici des milliers d'années que de proches parents des manchots du Cap cédèrent à l'attrait du nord, se confiant au courant de Humboldt. Certains d'entre eux s'établirent le long de la côte du Pérou où ils donnèrent une

Seules, quelques rares espèces, parmi les dix-huit que compte cet ordre, ont été tentées par le démon de l'exploration; suivant les courants froids remontant vers le nord, ils ont installé de nouveaux territoires de reproduction en dehors de la zone antarctique. Tous ceux qui se sont lancés dans cette aventure ont dû payer leur conquête d'un ame-

nouvelle espèce : le manchot péruvien.

Mais un certain nombre de ces hardis explorateurs jugèrent ce voyage insuffisant. Se fiant au courant, ils continuèrent à nager vers le nord jusqu'à ce qu'ils eussent atteint les Galapagos; d'où l'espèce que nous connaissons sous le nom de «manchots des

Galapagos», seuls sphéniciformes se reproduisant à proximité de l'équateur qu'ils franchissent parfois lors de migrations, mais en dehors de la saison des amours – et seuls manchots hantant occasionnellement l'hémisphère nord. Alors que les manchots péruviens n'ont pas de saison fixe pour la reproduction, les manchots des Galapagos continuent à célébrer leurs noces à la saison la plus fraîche, soit mai ou juin. Les deux espèces nichent dans des grottes

Les manchots péruviens qui, antérieurement, vivaient en grand nombre dans les îles au large de la côte péruvienne et jouaient un rôle important en tant que producteurs de guano, ont souffert des effets des constantes récoltes d'engrais. D'autres espèces, notamment les cormorans de Bougainville, ont des colonies aussi denses que par le passé. Aujourd'hui, ces manchots ne se rencontrent qu'en petits groupes.

Les manchots des Galapagos, qui ne mesurent que 53 centimètres environ, sont les seuls de leur ordre à vivre près de l'équateur. Ils ne se reproduisent qu'au sud-ouest de l'archipel, sur les îles Fernandina et Isabella que touche le courant de Humboldt; ils célèbrent leurs noces durant la période la plus froide de l'année. Ils passent presque toute la journée dans l'eau et attendent le crépuscule pour gravir les rochers volcaniques. Ci-dessous: manchots péruviens.

et pondent généralement deux œufs que chacun des parents couve alternativement. Le jeune ne va pas à l'eau avant d'avoir atteint une dizaine de semaines.

Le choix des plateaux rocheux

En bas, à gauche: Malgré leur allure lourdaude, les pélicans, excellents pêcheurs, volent admirablement.

En haut, à droite: Parmi les oiseaux nichant sur les îles péruviennes, rare est le fou à pied bleu; en revanche, son cousin, le fou varié, abonde. Ici, un oisillon mendie sa nourriture.

Au centre, à droite: Le cadavre d'un cormoran de Bougainville attire immédiatement un vautour aura qui décrivait des cercles au-dessus de la colonie. Celle-ci s'écarte respectueusement pour le laisser se livrer à sa macabre besogne.

En bas, à droite: La guifette ou sterne inca, d'une remarquable beauté, comptait autrefois parmi les importants producteurs de guano.

Les conditions rencontrées dans le voisinage du courant de Humboldt sont semblables à celles de certaines eaux polaires. Les îles désertes, recherchées pour la reproduction, sont peu nombreuses et souvent de surface réduite. Voulant profiter des quantités considérables de nourriture offertes par les courants froids, les oiseaux doivent s'agglutiner sur les zones de nidification. Ainsi, les cormorans de Bougainville vivent dans une promiscuité incroyable. On dénombre trois nids d'excréments au mètre carré.

Chaque couple élève généralement deux rejetons; les adultes ayant à peu près la taille d'un canard, on imagine ce que représentent douze individus à la fin de la saison de reproduction se reposant et dormant sur un mètre carré! Des incidents se produisent inévitablement et soulèvent des remous dans une grande partie de la colonie. Quand un oiseau ne pique pas exactement sur son nid, il se trouve en butte aux coups de becs furieux de ses congénères, et il lui faut reprendre l'air pour éviter des blessures

Pages 178|179:
*Une envergure de deux mètres, un corps relative-
ment léger, en raison de ses sacs aériens et de ses
os creux, font du pélican brun un étonnant pla-
neur. Ces grands oiseaux construisent généralement leurs nids dans les buissons ou à la cime des
arbres, mais, afin de profiter de l'abondance de
poisson des eaux péruviennes, ils doivent se
contenter du sol nu des îles rocheuses, presque
entièrement dépourvues de végétation. Leur
activité de constructeurs se borne à rassembler
quelques débris flottants et des algues. Les centaines de milliers de pélicans bruns qui, chaque
année, naissent ici prouvent qu'ils peuvent s'en
satisfaire.*

Pages 180|181:
*Le fou varié ne ressemble en rien à son proche
parent, le pélican brun, bien que tous deux appar-
tiennent à l'ordre des pélécaniformes. L'énorme
membrane extensible de la partie inférieure du
bec, précieuse pour le pélican qui l'utilise comme
filet à poissons, n'est que rudimentaire chez le fou.
Celui-ci a compensé cette lacune en améliorant sa
technique de plongée. Alors que le pélican brun
est le seul de sa famille à chercher sa nourriture en
volant à la surface de l'eau et s'enfonce à peine
pour capturer sa proie, le fou se laisse tomber
comme une pierre d'une hauteur de 30 à 40
mètres et poursuit le poisson jusqu'à 20 mètres
de profondeur. Comme presque tous les pélécaniformes il couve au sein d'immenses colonies.*

graves. Comment ces oiseaux
parviennent-ils à identifier leur
nid au sein de cette incroyable
confusion ? Apparemment, ils
doivent être guidés par des sons
individuels qu'ils sont seuls capables de différencier et qui aident
les partenaires à communiquer
entre eux.

Pages 182|183:
*Les cormorans de Bougainville forment un gigan-
tesque tapis vivant. Les quelque 250 000 oiseaux
rassemblés sur cette île sont tellement serrés
qu'il leur est impossible de prendre l'air simultanément. Si un danger sème la panique, ils se
piétinent parfois à mort. En mouvement, cette
masse produit un bruit comparable à un lointain
grondement de tonnerre. Le matin, quand ils se
rendent sur les lieux de pêche, ceux qui se
trouvent sur la côte accore et au vent sont les premiers à prendre leur essor. Leur départ met lentement en branle tout le tapis et le déplace en
direction du point de décollage d'où d'autres
oiseaux s'élancent, rejoignant le vol interminable
qui disparaît au-delà de l'horizon. Trois ou
quatre heures peuvent s'écouler avant que les
derniers aient pu quitter le plateau.*

TANT QU'IL Y AURA DES OISEAUX...

Plus nos efforts
tendent à percer
le secret
des oiseaux,
plus s'étendent
nos connaissances,
plus nous comprenons
que les oiseaux
demeureront à nos yeux
l'un des mystères
de la nature –
aussi longtemps
qu'en elle
resteront enclos
les miracles
de la vie.

La boucle se referme.

Le jeune oiseau a mué. Une année a passé, ou deux, ou trois, suivant l'espèce à laquelle il appartient. Le voilà qui se dresse dans ses atours de noces, simples ou éclatants... muet, croassant ou vocalisant. Plus rien ne le distingue de ses parents.

Durant sa jeunesse, il s'est laissé aller à son besoin effréné de vagabondage; il a suivi des migrations; finalement, il a cherché son propre territoire, l'a occupé et vaillamment défendu.

Le grand moment est venu. Fougueux, tendre ou timide, il cherche à conquérir une compagne. Il s'est à peine débarrassé de son plumage de jeunesse, et le voilà en proie à une passion irrésistible. Mû par une excitation croissante, le couple cherche à s'unir, à synchroniser le rythme extatique de ses mouvements jusqu'à ce qu'il atteigne l'harmonie sans laquelle toute procréation est impossible.

Ardeurs nuptiales, quelques instants de frissons et de vertige, ivresse: la boucle est refermée.

Et nous nous retrouvons face au commencement de tout, à l'origine de la vie. De nouveau, nous considérons l'œuf avec étonnement. Et, quelque part en nous, une perception fondamentale s'impose: il n'y a pas de fin. L'individu en soi importe peu; il est mortel. L'espèce continuera à exister si des changements radicaux de l'environnement n'empêchent pas sa perpétuation.

L'oiseau continue à vivre dans la génération suivante et dans toutes celles qui lui succéderont.

Il continuera à s'accoupler, à céder à des élans passionnés, à construire un nid avec plus ou moins d'ingéniosité, à retourner prudemment ses œufs et à les couver avec une patience infinie.

Il continuera à se sacrifier pour sa progéniture, à assurer la survie de sa famille aussi longtemps que son petit cœur d'oiseau battra. Il continuera à transmettre la vie.

Il continuera à user de ses yeux pour voir et capter la lumière et, derrière les yeux, de mystérieuses glandes fonctionneront pour lui désigner ses tâches, éveiller ses passions et lui ordonner d'aimer, de construire, de couver ou de nourrir...

RÉPARTITION GÉOGRAPHIQUE :

NA = Amérique du Nord
SA = Amérique du Sud
EU = Europe
AF = Afrique
AS = Asie
AU = Australie
AN = Antarctique

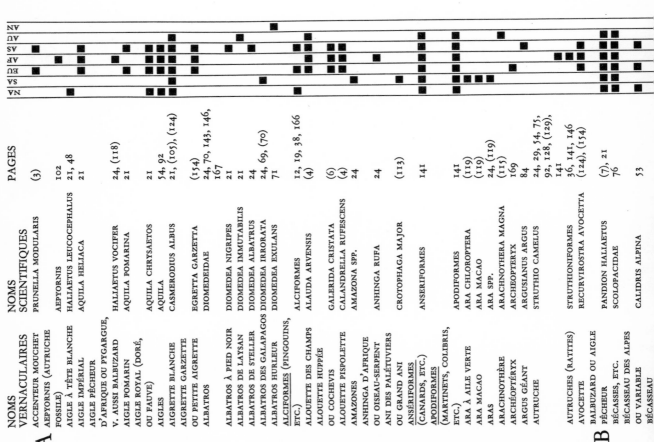

(Top section)

Nom français	Nom scientifique	Pages
MARTINS-PÊCHEURS, ETC.)	CORACIIFORMES	36, 141, 146
CORMORAN À OREILLES OU OREILLARD	PHALACROCORAX AURITUS (AUSSI: NANNOPTERUM)	21
CORMORAN APTÈRE (DES GALAPAGOS)	PHALACROCORAX HARRISI	24
CORMORAN DE BOUGAINVILLE	PHALACROCORAX BOUGAINVILLEI	170, (171), 175, 176, (177), (182), (184)
CORMORAN DU CAP	PHALACROCORAX CAPENSIS	24, 158
CORMORAN EUROPÉEN OU GRAND CORMORAN	PHALACROCORAX CARBO	(154)
CORMORAN HUPPÉ	PHALACROCORAX ARISTOTELIS	14, (16), (17), (51)
CORMORANS	PHALACROCORACIDAE	12, 16, 17, 19, 21, 24, (97), (154), 160, 166, 176
CORNEILLES	CORVUS CORONE, CORVUS CORNIX	46, 168
CORVIDÉS (CORNEILLES, CORBEAUX, PIES, ETC.)	CORVIDAE	36, 136
COUCALS	CENTROPODINAE	(113)
COUCOU-ÉPERVIER	HIEROCOCCYX SPARVEROIDES	115
COUCOU-ÉPERVIER VARIÉ	HIEROCOCCYX VARIUS	115
COUCOU EUROPÉEN		
COUCOU-GEAI OU OXYLOPHE	CLAMATOR GLANDARIUS	(113), 115
COUCOU-GEAI DE COROMANDEL, OU OXYLOPHE À COLLIER BLANC	CLAMATOR COROMANDUS	115
COUCOU-PAON	DROMOCOCCYX PAVONINUS	84
COUCOU DE CALIFORNIE OU TERRESTRE	GEOCOCCYX CALIFORNIANUS	(113)
COUCOUS	CUCULIDAE	36, 38, (112), (113), 114, 115,
COUCOUS TERRESTRES	GEOCOCCYGINAE	113
COUCOUS ET TOURACOS	CUCULIFORMES	141
COURLAN	ARAMUS GUARAUNA	21
COURLIS	NUMENIUS SPP.	74, 76
COURLIS CENDRÉ OU GRAND COURLIS	NUMENIUS ARQUATA	(75)
COUROUCOUS OU TROGONS	TROGONIDAE	36, 141, 142
CRABIER COMMUN OU HÉRON CRABIER	ARDEOLA RALLOIDES	(77)
CRATÉROPE OU GRIVE BRUNE DES INDES	CRATEROPUS CANORUS	(115)
CRAVE (À BEC ROUGE)	PYRRHOCORAX PYRRHOCORAX	(7), 56
CUCULIFORMES (COUCOUS, ETC.)	CUCULIFORMES	141
CUPIDON DES PRAIRIES	TYMPANUCHUS CUPIDO	76, 130
CYGNE DOMESTIQUE, CYGNE MUET	CYGNUS OLOR	(98), (99), (154)
CYGNE NOIR	CYGNUS ATRATUS	98, 135
CYGNES	CYGNUS SPP.	98, 135

(Bottom section)

Nom français	Nom scientifique	Pages
BEC-CROISÉ DES SAPINS	LOXIA CURVIROSTRA	(32)
BEC-CROISÉ PERROQUET	LOXIA PYTYOPSITTACUS	(96)
BEC-CROISÉ OU	LOXIA	10
BECS-DE-CIRE OU BENGALIS, DIAMANTS, ETC.	ESTRILDIDAE	24, 136
BEC-EN-CISEAU	RHYNCOPIDAE	21
BEC-OUVERT	ANASTOMUS LAMELLIGERUS	24
BENGALIS, ETC.	ESTRILDIDAE	24, 136
BERGERONNETTE, HOCHEQUEUE GRIS OU LAVANDIÈRE	MOTACILLA ALBA	(54)
BERNACHE À COL ROUX	BRANTA RUFICOLLIS	21
BERNACHE DES HAWAII OU OIE NÉNÉ	BRANTA SANDVICENSIS	21, (134)
BERNACHE DU CANADA	BRANTA CANADENSIS	21, (134)
BLONGIOS NAIN OU HÉRON NAIN	IXOBRYCUS MINUTUS	(154)
BOUVREUIL	PYRRHULA PYRRHULA	(5), (33)
BRANTE ROUSSÂTRE OU CANARD PLONGEUR	NETTA RUFINA	21
BRUANT DES HAIES OU BRUANT-ZIZI	EMBERIZA CIRLUS	(2)
BRUANT DES NEIGES	PLECTROPHENAX NIVALIS	(96)
BRUANT DES ROSEAUX	EMBERIZA SCHOENICLUS	(7)
BRUANT JAUNE	EMBERIZA CITRINELLA	(3), (97)
BRUANT LAPON	CALCARIUS LAPONICUS	52
BRUANT PROYER	EMBERIZA CALANDRA	102
BRUANT-ZIZI	EMBERIZA CIRLUS	(2)
BUSARD HARPAYE	CIRCUS AERUGINOSUS	(154)
BUSARDS	CIRCINAE	53
BUSE DES GALAPAGOS	BUTEO GALAPAGOENSIS	24
BUSES	BUTEO	46, 76
BUTOR ÉTOILÉ	BOTAURUS STELLARIS	(53), 104, (137)
CACATOÈS	KAKATOEINAE	24
CALAO DE VAN DER DECKEN	TOCKUS DECKENI	(93)
CALAOS	BUCEROTIDAE	45
CALAOS TERRESTRES	BUCORVUS	24
CAILLE NAINE OU CAILLE PEINTE DE CHINE	EXCALFACTORIA CHINENSIS	69
CANARD À TÊTE NOIRE OU CANARD-COUCOU D'ARGENTINE	HETERONETTA ATRICAPILLA	115
CANARD CAROLIN	AIX SPONSA	21
CANARD COLVERT	ANAS PLATYRHYNCHOS	(54), (55), (97)
CANARD PLONGEUR OU BRANTE ROUSSÂTRE	NETTA RUFINA	21
CANARDS	ANATIDAE	21, 24, 34, 38, 45, 104, 115, 117, 120, 121, 132, 134, 136, 140, 160, 104, 166
CANARDS, OIES, ETC.	ANSERIFORMES	141
CANARDS SIFFLEURS	DENDROCYGNI	24, 98, 121, 135, 166
CAPRIMULGIFORMES (ENGOULEVENTS, ETC.)	CAPRIMULGIFORMES	36, 38, 141

T

S

V